ШКАТУЛОЧКА

Пособие по чтению для иностранцев,
начинающих изучать русский язык
(элементарный уровень)

Под редакцией О.Э. Чубаровой

Двенадцатое издание, стереотипное

РУССКИЙ ЯЗЫК
КУРСЫ

МОСКВА
2020

УДК 811.161.1
ББК 81.2 Рус-96
    Б24

Баринцева, М.Н.

Б24 **Шкатулочка**: Пособие по чтению для иностранцев, начинающих изучать русский язык (элементарный уровень) / М.Н. Баринцева, И.И. Жабоклицкая, И.В. Курлова, А.Ю. Петанова, О.Э. Чубарова / Под ред. О.Э. Чубаровой. — 12-е изд., стереотип. — М.: Русский язык. Курсы, 2020. — 144 с.: ил.

ISBN 978-5-88337-178-2

В пособии собрано около ста небольших по объёму текстов с упражнениями. Тексты аутентичны, занимательны и просты. К чтению книги можно приступать уже с первых дней изучения русского языка. Читатель найдёт здесь сведения о культуре и традициях России, весёлые истории из жизни россиян и иностранцев, анекдоты, полезную информацию. Разнообразные в тематическом и жанровом отношении короткие рассказы, которые по выбору преподавателя могут использоваться для закрепления той или иной грамматической формы и для развития речи, предопределили название сборника.

Значительная часть текстов написана специально для «Шкатулочки» и публикуется впервые. Структура книги соответствует программе элементарного уровня, новые грамматические формы вводятся в текстовый материал постепенно и последовательно. В конце пособия читатель найдёт несколько текстов повышенного уровня сложности (раздел «Для тех, кто хочет знать больше слов»).

УДК 811.161.1
ББК 81.2 Рус-96

СОДЕРЖАНИЕ

Родительный падеж

Дательный падеж

Творительный падеж

Вы знаете все падежи

Виды глаголов

ПРЕДИСЛОВИЕ

Известно, что чем больше человек читает, тем богаче его речь. Чем больше текстов прочитал иностранец на русском языке, тем быстрее пополняется его словарный запас, тем лучше он понимает и говорит по-русски.

Уже с первых дней изучения языка необходимо предлагать учащимся интересные, увлекательные, но в то же время простые, не перегруженные незнакомыми словами и грамматическими конструкциями тексты. Именно такие и содержит книга «Шкатулочка».

Те, кто знаком с пособием «Шкатулка», легко поймут происхождение названия новой книги. «Шкатулочка» меньше по объёму, чем её «старшая сестра», тексты в «Шкатулочке» проще и короче. Так же, как и «Шкатулка», «Шкатулочка» — сборник, тексты которого автономны, хотя и выстроены по принципу «от простого к сложному» в соответствии с традиционной последовательностью изучения грамматических тем. «Шкатулочку» и «Шкатулку» можно рассматривать как двухтомную хрестоматию, содержащую тексты преимущественно элементарного («Шкатулочка»), элементарного и базового («Шкатулка») уровней.

В «Шкатулочке» читатель найдёт сведения о культуре и традициях России, весёлые истории из жизни россиян и иностранцев, полезную информацию. Разнообразные в тематическом и жанровом отношении короткие рассказы по выбору преподавателя могут использоваться для закрепления той или иной грамматической формы и для развития речи.

В книге десять разделов. Первые шесть отражают последовательное введение новых падежных форм, традиционно принятое в практике преподавания РКИ: именительный, предложный, винительный, родительный, дательный и творительный падежи. Следующий раздел — «Вы знаете все падежи» — содержит тексты, в которых представлены все изученные ранее падежные формы. Далее следуют разделы «Виды глаголов», «Глаголы движения». Завершают книгу тексты повышенного уровня сложности, объединённые под названием «Для тех, кто хочет знать больше слов». Появление этого раздела в книге элементарного уровня связано с тем, что авторам неоднократно доводилось работать со студентами, готовыми в кратчайшие сроки усвоить значительный объём лексики.

Каждый текст имеет подзаголовок, указывающий на те грамматические формы, которые доминируют в тексте. Задания направлены главным образом на проверку понимания текстов, есть также лексические и грамматические упражнения. Большое внимание уделяется так называемой «интернациональной» лексике, что позволяет развить догадку (известно, что далеко не все учащиеся легко узнают заимствованные слова) и значительно пополнить словарный запас.

Авторы пособия — сотрудники Центра международного образования МГУ им. М.В. Ломоносова, поэтому при работе над сборником были привлечены материалы текстотеки ЦМО — электронного пособия, содержащего тексты разных уровней сложности, созданные сотрудниками Центра. Однако бо́льшая часть текстов написана специально для «Шкатулочки» и публикуется впервые.

ИМЕНИТЕЛЬНЫЙ ПАДЕЖ

Ру́сские слова́

Имена существительные в именительном падеже

1. Читайте текст.

Аэропо́рт, па́спорт, такси́, банк, кафе́, ко́фе, сэ́ндвич... Компью́тер, телефо́н... Я понима́ю ру́сские **слова́**!

сло́во — *word*

Телеви́зор. **Я слы́шу**: проблéма, конститу́ция, револю́ция, демокра́тия, конфли́кт...

слы́шать — *to hear*

Я зна́ю ру́сский язы́к!

знать — *to know*

2. Какие русские слова похожи на слова вашего родного языка?

Я смотрю́ и ви́жу...

Ли́чные и притяжа́тельные местоимения в именительном падеже

1. Читайте текст.

Я смотрю́ и **ви́жу**: э́то ты.
Ты кто? Я не зна́ю, кто ты.

смотре́ть — *to look*

ви́деть — *to see*

Ты смо́тришь и ви́дишь: э́то я. Кто я? Я не зна́ю, кто я!

Ты зна́ешь, кто я. Ты говори́шь: «Мой ребёнок». Я твой ребёнок!

Ты зна́ешь, кто ты. Ты говори́шь: «Я ма́ма!»

Я зна́ю, кто ты! Ты моя́ ма́ма!

Я смотрю́ и ви́жу — э́то он. Кто он? Ты говори́шь: «Это па́па». И он говори́т: «Я — твой па́па!» Я понима́ю: э́то мой па́па!

А э́то кто? Кто они́? Ты говори́шь: «Это ба́бушка и де́душка, э́то брат и сестра́...» Это мой ба́бушка и де́душка, мои́ брат и сестра́!

Мы — семья́!

Я понима́ю: я **роди́лся**.

роди́ться —
to be born

2. Запо́лните пропуски местоиме́ниями *мой* или *моя́*.

_____ ба́бушка, _____ де́душка, _____ брат, _____ сестра́, _____ семья́.

«Алло́, э́то премье́р-мини́стр?»

Имена существительные в именительном падеже

1. Понима́ете ли вы слова́ *мини́стр, премье́р-мини́стр*?

2. Чита́йте диало́г.

—Алло́! Здра́вствуйте!

—Здра́вствуйте!

—Это премье́р-мини́стр?

—Нет, э́то не мини́стр.

—Не мини́стр?

—Нет, **к сожале́нию**, не мини́стр. Я — инже-не́р...

к сожале́нию —
unfortunately

— Инжене́р? **Ничего́ не понима́ю!**

— А **вы куда́ звони́те? Како́й но́мер вы набира́ете?**

— 123-45-67.

— Нет-нет. **Вы оши́блись.**

— Это не рестора́н «Премье́р-мини́стр»?

— Нет, э́то не рестора́н, э́то **кварти́ра**. Вы **не туда́ попа́ли**.   кварти́ра — *flat*

— Ой, извини́те!

— Ничего́.

Ничего́ не понима́ю! — *I don't get it!*
вы куда́ звони́те? — *where are you calling?*
Како́й но́мер вы набира́ете? — *What number do you dial?*
Вы оши́блись. — *You're mistaken.*
не туда́ попа́ли — *wrong number*

3. Продолжите диалог по телефону.

А. — Алло́, здра́вствуйте!
— Здра́вствуйте!
— Это магази́н «ИКЕ́А»?
— Нет, вы оши́блись, э́то...

Б. — Алло́! До́брый день!
— Здра́вствуйте!
— Это шко́ла № 41?
— Нет, вы не туда́ попа́ли. Это...

В. — Приве́т, Ира!
— Это не Ира. Како́й но́мер вы набира́ете?
— ...

Она́ краси́вая!

Род имён прилага́тельных

1. Читайте текст.

Её **глаза́** больши́е, зелёные.
Её **нос** краси́вый, ма́ленький.
Её **рот** ма́ленький, кра́сный.
Её **зу́бы** о́чень бе́лые.
Она́ **молода́я**, о́чень краси́вая и **весёлая** — моя́ ко́шка.

глаза́ — *eyes*
нос — *nose*
рот — *mouth*
зу́бы — *teeth*
молодо́й — *young*
весёлый — *joyful*

2. Соедините существительные и соответствующие им прилагательные.

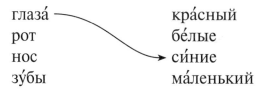

глаза́   кра́сный
рот   бе́лые
нос   си́ние
зу́бы   ма́ленький

Непого́да

Глаго́л в настоя́щем вре́мени

1. Читайте текст.

Сего́дня идёт дождь. Очень **па́смурно**. **Пого́да** плоха́я. **У меня́ зонт.** Все **спеша́т**. Я то́же спешу́, потому́ что я преподава́тель. И **ско́ро** у меня́ уро́к. «Сего́дня непого́да», — говорю́ я. Студе́нты

па́смурно — *dull*
пого́да — *weather*
спеши́ть — *to be in a hurry*
ско́ро — *soon*

не понима́ют. «Кака́я непого́да? Что э́то зна́чит? Како́е **смешно́е** сло́во!» И студе́нты **смею́тся**.

А вы зна́ете, что тако́е «непого́да»?

смешно́й —
funny

смея́ться —
to laugh

2. Скажите, правильно или нет.

1) Сего́дня све́тит со́лнце.
2) Сего́дня о́чень па́смурно.
3) Все не спеша́т и иду́т о́чень ме́дленно.
4) Я то́же не спешу́.
5) Кака́я сего́дня хоро́шая пого́да!
6) Непого́да — о́чень смешно́е сло́во.

3. Заполните пропуски словами из текста.

_____ идёт. _____ спеша́т. _____ спешу́. _____ говорю́. _____ не понима́ют. _____ смею́тся. _____ зна́ете?

Интерье́р

Имена существительные
и имена прилагательные
в именительном падеже

1. Понимаете ли вы слова *ла́мпа, диза́йнер, фру́кты*?

2. Читайте текст.

Бе́лая дверь. Бе́лое окно́. Бе́лый пол. Бе́лый потоло́к. Бе́лые сте́ны. Бе́лые ла́мпы. Бе́лый стол. Бе́лая **таре́лка**. Кра́сные я́блоки, зелёные я́блоки,

таре́лка — *plate*

жёлтые бана́ны, ора́нжевые апельси́ны, си́ние
сли́вы.

Это **больни́ца**? Нет!

Здесь **живёт** диза́йнер Ва́ся. Он лю́бит бе́лый
цвет и фру́кты.

Чёрная дверь. Чёрный пол. Чёрный потоло́к.
Чёрное окно́. Чёрный **холоди́льник**. Жёлтый шкаф.
Жёлтый стол. Чёрная таре́лка. Кра́сные помидо́-
ры. Зелёные огурцы́. Ора́нжевая морко́вь.

Что э́то? **Фильм у́жасов**?

Нет, э́то кварти́ра. Здесь живёт диза́йнер Ле́на.
Она́ лю́бит чёрный цвет, жёлтый цвет и **о́вощи**.

больни́ца —
  hospital
жить — *to live*
цвет — *colour*

холоди́льник —
  fridge

фильм у́жасов —
  horror film
о́вощи —
  vegetables

3. Соедините названия цветов и названия продуктов.

я́блоки	жёлтый
я́блоко	жёлтые
бана́ны	кра́сное
бана́н	зелёные
апельси́ны	си́няя
апельси́н	ора́нжевые
сли́ва	си́ние
сли́вы	бе́лое
помидо́р	ора́нжевый
помидо́ры	зелёный
огуре́ц	кра́сный
окно́	кра́сные

4. Дизайнеры Лена и Вася познакомились. Сейчас они муж и жена. Как вы
думаете, какая у них будет квартира?

5. А какие цвета вы любите? Какая у вас квартира?

Мой люби́мый цвет

Имена прилагательные в именительном падеже

1. Читайте текст.

Мой **люби́мый** цвет — кра́сный. Он о́чень краси́вый и **я́ркий**. **Ещё** я люблю́ ора́нжевый. Потому́ что он тёплый и энерги́чный. Си́ний цвет я то́же люблю́. Он холо́дный и **споко́йный**. И жёлтый цвет люблю́. Это со́лнечный и **весёлый** цвет. Ещё мой люби́мый цвет — голубо́й! Он **све́жий** и **прия́тный**, как мо́ре. Или как не́бо. Но мой са́мый люби́мый цвет — зелёный. Это прекра́сный цвет! Потому́ что у меня глаза́ — зелёные!

люби́мый —
  favourite
я́ркий — *bright*
ещё — *also*
споко́йный —
  calm
весёлый — *jolly*
све́жий — *fresh*
прия́тный —
  pleasant

2. Соедините антонимы.

краси́вый   споко́йный
энерги́чный   → холо́дный
тёплый   неприя́тный
весёлый   несве́жий
све́жий   некраси́вый
прия́тный   гру́стный

3. Какие цвета вы любите? А какие не любите?

4. Скажите, какого цвета эти овощи и фрукты? Каких овощей и фруктов здесь нет? Какого они цвета? Возьмите цветные карандаши и раскрасьте рисунки.

Какие бывают дачи?

Имена существительные и имена прилагательные в именительном падеже

1. Понимате ли вы слова *пенсионерка, бизнесмен, газон, сауна, бильярд, гараж*?

2. Читайте тексты.

Первая дача

Маленький старый дом. Большой **огород**: картошка, морковь, капуста, огурцы, помидоры, **клубника**... Здесь живёт пенсионерка Мария Ивановна.

огород — *vegetable garden*

клубника — *strawberry*

Вторая дача

Дом не старый и не новый, не маленький и не большой. Красивые цветы... Много!

Здесь живут Игорь и Катя. Игорь **бухгалтер**. Катя учительница.

бухгалтер — *accountant*

Третья дача

Большой дом. Очень большой дом. Зелёный газон. Очень хороший газон. Сауна, бильярд, **бассейн**, гараж. Здесь живёт Иван Петрович Котиков. Он бизнесмен.

бассейн — *swimming pool*

3. Выпишите из текста прилагательные к словам:

дом _____

огород _____

цветы _____

газон _____

4. У вас есть дача? Какая она? У вас нет дачи? А какой она будет? Пофантазируйте!

ПРЕДЛОЖНЫЙ ПАДЕЖ

Кто живёт в Герма́нии?

Имена существительные в предложном падеже

1. Читайте текст.

Нет, **всё-таки** ру́сский язы́к — **стра́нный**. В Аме́-
рике живу́т америка́нцы, во Фра́нции — фран-
цу́зы, в А́нглии — англича́не, в Испа́нии — ис-
па́нцы, в Бе́льгии — бельги́йцы, в Голла́ндии —
голла́ндцы, в Япо́нии — япо́нцы, а в Герма́нии...
не́мцы!

всё-таки —
nevertheless
стра́нный —
strange

2. Напишите, где они живут.

Америка́нцы живу́т _____ .

Францу́зы живу́т _____ .

Англича́не живу́т _____ .

Испа́нцы живу́т _____ .

Бельги́йцы живу́т _____ .

Голла́ндцы живу́т _____ .

Япо́нцы живу́т _____ .

Не́мцы живу́т _____ .

3. Где вы живёте? Где вы жили раньше?

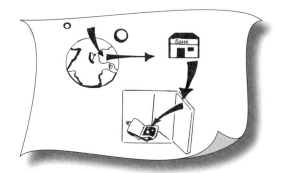

Ко́смос

1. Понимаете ли вы слова *плане́та, контине́нт, банк, сейф, фотогра́фия*?

2. Читайте текст.

Ко́смос. В ко́смосе плане́та. На плане́те **океа́н.** В океа́не контине́нт. На контине́нте страна́. В стране́ го́род. В го́роде банк. В ба́нке сейф. В се́йфе **чемода́н.** В чемода́не су́мка. В су́мке **кошелёк.** В кошельке́ фотогра́фия. На фотогра́фии ко́смос...

ко́смос — *space*
океа́н — *ocean*
чемода́н —
    suitcase
кошелёк — *purse*

3. Ответьте на вопросы.

1) Где фотогра́фия?
2) Где кошелёк?
3) Где су́мка?
4) Где чемода́н?
5) Где сейф?
6) Где банк?

7) Где го́род?
8) Где страна́?
9) Где контине́нт?
10) Где океа́н?
11) Где плане́та?
12) Где ко́смос?

Где мои́ очки́?

Имена существительные в предложном падеже

1. Читайте текст.

— Где мои́ очки́? В су́мке смотре́ла — там нет. В **карма́не** смотре́ла — там нет. В **ва́нной иска́ла**

карма́н — *pocket*
ва́нная —
    bathroom
иска́ть —
    to look for

— не нашла́. В ко́мнате иска́ла, **везде́** смотре́ла: на столе́, на по́лке, на **дива́не**, на телеви́зоре, в шкафу́, на **подоко́ннике**... Нет! На ку́хне иска́ла — не нашла́...

— А в **зе́ркало** смотре́ла?

— Что? Да! Вот мои́ очки́, **на носу́**!

везде́ — *everywhere*
дива́н — *sofa*
подоко́нник — *window sill*
зе́ркало — *mirror*
на носу́ — *on the nose*

2. Отве́тьте на вопро́сы.

1) Где она́ иска́ла очки́?
2) Где она́ их нашла́?

А вы уже́ бы́ли в Кремле́?

Имена существительные в предложном падеже

1. Понима́ете ли вы слова́ *клие́нт, бути́к*?

2. Чита́йте текст.

Мой друг живёт в Москве́ уже́ год. А я прие́хал неда́вно. Я спроси́л его́:

— Стив, ты мо́жешь показа́ть мне интере́сные **места́** в Москве́? Ду́маю, ты уже́ всё зна́ешь **здесь**.

ме́сто — *place*
здесь — *here*

— Я зна́ю то́лько, где мой о́фис и мой дом. Понима́ешь, я **всё вре́мя** рабо́таю.

всё вре́мя — *all the time*

— Понима́ю... Но я ду́маю, в це́нтре ты был!

— Да, был. Вчера́ мы (я и наш но́вый клие́нт из То́кио) бы́ли в Кремле́ и на Кра́сной пло́щади. **Шеф** проси́л **показа́ть**.

— Ты был вчера́ на Кра́сной пло́щади **пе́рвый раз**?!

шеф — *boss*
показа́ть — *to show*
пе́рвый раз — *for the first time*

— Да. И в Кремле́ то́же. Ты зна́ешь, я не **ожида́л**, Москва́ — краси́вый го́род!

ожида́ть — *to expect*

—А твоя́ жена́ где была́ в Москве́?

—Она́ была́ в **универма́ге** «Москва́», в ГУ́Ме, в ЦУ́Ме, в Аша́не, в ИКЕ́Е, в Сто́кманне, в Бенетто́не, в бути́ке «Пьер Карде́н». Да, она́ ви́дела **мно́гое** в Москве́. Это я по́нял, когда́ уви́дел свой **счёт** в ба́нке.

универма́г — *department store*

мно́гое — *a lot*
счёт — *account*

3. Отве́тьте на вопро́сы.

1) Где живёт Стив?
2) Где он уже́ был?
3) Когда́ и почему́ он там был?
4) Где была́ его́ жена́?

4. Где вы бы́ли в Москве́? Где вы не бы́ли в Москве́?

Кита́й-го́род и Кита́й
Имена существительные в предложном падеже

1. Понима́ете ли вы сло́во *тео́рия*?
2. Чита́йте текст.

Когда́ иностра́нцы **узнаю́т**, что в Москве́ есть ста́нция метро́ «Кита́й-го́род», они́ ду́мают: «Всё поня́тно! В э́том **райо́не ра́ньше** жи́ли кита́йцы. А **мо́жет быть**, они́ живу́т здесь и сейча́с!»

Но э́то не так. Кита́йцы не жи́ли в э́том райо́не. Почему́ он называ́ется «Кита́й-го́род», **то́чно**

узнава́ть —
    to find out
райо́н — *area*
ра́ньше —
    long ago
мо́жет быть —
    may be
то́чно — *for sure*

не зна́ет **никто́**. Есть **ра́зные** тео́рии. Мо́жет быть, потому́ что сло́во «ки́та» в ста́ром ру́сском языке́ зна́чило «стена́», а **вокру́г** Кита́й-го́рода бы́ли сте́ны.

Это о́чень ста́рый райо́н Москвы́.

никто́ — *nobody*
ра́зные — *different*
вокру́г — *around*

3. Отве́тьте на вопро́сы.

1) Кита́йцы живу́т в Кита́й-го́роде и́ли нет?
2) А ра́ньше там жи́ли кита́йцы?
3) Почему́ Кита́й-го́род так называ́ется?

Мой друг — большо́й оригина́л

Имена существительные в предложном падеже

1. Понима́ете ли вы слова́ *худо́жник-модельéр, шампу́нь*?

2. Чита́йте текст.

Обы́чно карти́ны вися́т на стене́. Но у моего́ дру́га карти́ны вися́т на **потолке́**. Мой друг лю́бит лежа́ть на **дива́не** и смотре́ть на карти́ны.

Обы́чно **оде́жда** виси́т и лежи́т в шкафу́. Но у моего́ дру́га оде́жда виси́т везде́: **брю́ки** на стене́, **руба́шки** на окне́, **га́лстуки** на двери́, а **пиджаки́** лежа́т на крова́ти. Мой друг лю́бит сиде́ть на дива́не и смотре́ть на брю́ки, пиджаки́, руба́шки и га́лстуки. Он худо́жник-моделье́р.

потоло́к — *ceiling*
дива́н — *sofa*
оде́жда — *clothes*
брю́ки — *trousers*
руба́шка — *shirt*
га́лстук — *tie*
пиджа́к — *jacket*

Обы́чно **бри́тва, мы́ло, зубна́я щётка** и шампу́нь лежа́т и стоя́т на по́лке в ва́нной. Но у моего́ дру́га бри́тва, мы́ло, зубна́я щётка и шампу́нь лежа́т в **чемода́не**. Потому́ что он ча́сто е́здит в **командиро́вки**.

бри́тва — *razor*
мы́ло — *soap*
зубна́я щётка — *tooth brush*
чемода́н — *suitcase*
командиро́вка — *business trip*

3. Отве́тьте на вопро́сы.

1) Где в ва́шем до́ме вися́т карти́ны?
2) А где вися́т карти́ны в до́ме моего́ дру́га? Почему́?
3) Где обы́чно виси́т и лежи́т оде́жда?
4) Где виси́т оде́жда в до́ме моего́ дру́га? Почему́?
5) Где обы́чно лежа́т и стоя́т бри́тва, мы́ло, зубна́я щётка и шампу́нь?
6) Где лежа́т бри́тва, мы́ло, зубна́я щётка и шампу́нь у моего́ дру́га? Почему́?

О чём?

Имена существительные, имена прилагательные и притяжательные местоимения в предложном падеже

1. Понима́ете ли вы слова́ *поли́тика, эконо́мика, пробле́ма, психотерапе́вт, популя́рный, профе́ссия*?

2. Чем различа́ются глаго́лы *говори́ть* и *разгова́ривать*?

3. Чита́йте текст.

О чём обы́чно разгова́риваем мы, ру́сские? **Обо всём!**

Мы говори́м о поли́тике, о рабо́те, о деньга́х, о на́шей **зарпла́те**, о на́ших жёнах и мужья́х, о на́ших де́тях и друзья́х, о спо́рте, о кино́, о литерату́ре, о теа́тре, и **иногда́** — о **пого́де**.

зарпла́та — *salary*
иногда́ — *sometimes*
пого́да — *weather*

Мужчи́ны лю́бят говори́ть о поли́тике, об эконо́мике и о спо́рте. Же́нщины разгова́ривают о **жи́зни**, о **любви́**, о **мо́де**, о де́тях и о мужья́х. Ру́сские мно́го говоря́т о **свои́х** пробле́мах. В Росси́и психотерапе́вт — не о́чень популя́рная профе́ссия. У нас есть друзья́ и подру́ги! Друзья́ **вы́слушают**, пойму́т, **даду́т** хоро́ший **сове́т**.

О чём мы **мечта́ем**? О большо́й любви́, о счастли́вой семье́. Об интере́сной рабо́те и хоро́шей зарпла́те.

жизнь — *life*
любо́вь — *love*
мо́да — *fashion*
свой — *their own*
вы́слушать —
    to hear out
дава́ть — *to give*
сове́т — *advice*
мечта́ть —
    to dream

обо всём — *about everything*

3. Отве́тьте на вопро́сы.

1) О чём разгова́ривают ру́сские?
2) О чём обы́чно говоря́т мужчи́ны? А же́нщины?
3) Почему́ в Росси́и психотерапе́вт — не о́чень популя́рная профе́ссия?

4. О чём разговаривают мужчины, женщины и дети в вашей стране? О чём вы мечтаете?

ВИНИТЕЛЬНЫЙ ПАДЕЖ

Кто они́ по профе́ссии?
(те́ксты-зага́дки)

**Имена существительные в предложном и винительном
падежах, глаголы в настоящем времени**

1. Прочитайте загадки. Угадайте, кто они по профессии? Выберите ответы
из слов, данных после текста.

1) Ве́чером и но́чью рабо́тает. Днём обы́чно спит. На рабо́те слу́шает му́зыку. До́ма слу́шает му́зыку. Когда́ он рабо́тает, лю́ди **танцу́ют**.

*танцева́ть —
to dance*

2) На рабо́те он ви́дит зу́бы, зу́бы, зу́бы... Он хорошо́ зна́ет зу́бы. Он понима́ет, где хоро́шие зу́бы, а где плохи́е.

3) Рабо́тает в кафе́, в рестора́не, в столо́вой. Гото́вит еду́: супы́ и мя́со, сала́ты и то́рты.

4) Он милиционе́р, пото́м он банди́т, пото́м он бизнесме́н, пото́м он **бога́тый**, пото́м он **бе́дный**... Это — игра́. Игра́ — э́то его́ профе́ссия.

*бога́тый — rich
бе́дный — poor*

5) Он игра́ет в футбо́л. Или в баскетбо́л. Или в хокке́й. Или в волейбо́л. Или в те́ннис...

6) Он рабо́тает в о́фисе. Колле́ги говоря́т: «Да, босс... Хорошо́, босс...». Де́ньги есть. Мно́го. Проб-

лéмы тóже есть. Очень мнóго. Он мнóго, мнóго, óчень мнóго рабóтает!

7) Егó клиéнты — хулигáны, бандúты и **другúе** плохúе лю́ди. Он дóлжен говорúть, что онú хорóшие и **ничегó плохóго** не дéлали.

8) Он рабóтает дóма úли в **концéртном зáле**, игрáет на музыкáльном инструмéнте.

О т в е т ы: **пóвар**, спортсмéн, бизнесмéн, актёр, **диск-жокéй**, **адвокáт**, **стоматóлог**, музыкáнт.

другúе — *other*
ничегó плохóго
   — *nothing bad*
концéртный зал
   — *concert hall*
пóвар — *cook*
диск-жокéй —
         DJ
адвокáт —
      solicitor
стоматóлог —
      dentist

2. Напишите, что они делают.

Диск-жокéй _____ .
Пóвар _____ .
Бизнесмéн _____ .
Спортсмéн _____ .
Музыкáнт _____ .
Стоматóлог _____ .
Адвокáт _____ .
Актёр _____ .

3. Исправьте ошибки.

1) Диск-жокéй рабóтает у́тром.
2) Пóвар на рабóте вúдит зу́бы, зу́бы, зу́бы...
3) Музыкáнт рабóтает на стадиóне.
4) Адвокáт готóвит еду́.
5) Стоматóлог игрáет на музыкáльном инструмéнте.
6) Бизнемéн мáло, óчень мáло рабóтает.
7) Актёр дóлжен говорúть, что бандúты и хулигáны — хорóшие.

4. Как вы думаете, какая профессия — самая интересная?

5. Кто вы по профессии? Придумайте о ней загадку.

Музыка́нт

Имена существительные
в винительном падеже

1. Читайте стихотворение.

В суббо́ту идёт музыка́нт на рабо́ту,
Он ве́чером бу́дет игра́ть.
И бу́дет слу́шать му́зыку **кто́-то**,
А кто-то бу́дет **скуча́ть**.

Но музыка́нт игра́ет и зна́ет,
Что он **на ве́рном пути́**,
Что ка́ждый дверь свою́ открыва́ет —
Если мо́жет найти́.

кто́-то —
someone
скуча́ть —
to be bored
на ве́рном пути́
— on the right way

2. А вы любите музыку? Вы любите ходить на концерты? Какую музыку вы любите?

Я люблю́…

Имена существительные в винительном падеже,
глагол *люби́ть* с инфинитивом

1. Читайте текст.

Я о́чень люблю́ **е́здить на по́езде**. Люблю́ сиде́ть в **купе́**, смотре́ть в окно́ и пить чай. Люблю́ смотре́ть на **леса́** и **ре́ки**, на **не́бо** и **звёзды**.

Ещё я люблю́ джаз. Люблю́ лежа́ть на дива́не и слу́шать му́зыку.

купе́ —
compartment
лес — *forest*
река́ — *river*
не́бо — *sky*
звезда́ — *star*

И о́сень я о́чень люблю́. Люблю́, когда́ хо́лодно. Люблю́, когда́ идёт дождь и **па́дают ли́стья**.

па́дать — *to fall*
ли́стья — *leaves*

е́здить на по́езде — *to travel by train*

2. Продолжите ряд.

Я люблю́ му́зыку, дождь, о́сень, ...

Я люблю́ пить чай, смотре́ть в окно́, слу́шать му́зыку, ...

Я люблю́, когда́ идёт дождь, когда́ па́дают ли́стья, когда́ улыба́ются де́вушки, ...

3. Закончите предложения.

О б р а з е ц: Осенью идёт дождь и па́дают ли́стья.

Зимо́й...
Весно́й...
Ле́том...

4. А вы что любите и не любите делать?
Какое время года вы любите? Почему?

Хочу́ купи́ть маши́ну

Имена существительные
и имена прилагательные
в винительном падеже (*что?*)

1. Читайте диалог.

— Алло́, скажи́те, э́то **торго́вый центр**?
— Да, э́то торго́вый центр. Что вы хоти́те?

торго́вый центр
— *shopping mall*

— Я хочу́ купи́ть маши́ну. Вы **продаёте** маши́ны?

— Коне́чно, коне́чно, мы продаём маши́ны. Но каку́ю маши́ну вы хоти́те — дорогу́ю и́ли недорогу́ю, большу́ю и́ли небольшу́ю?

— Я хочу́ купи́ть но́вую и краси́вую маши́ну...

— Хорошо́, поня́тно, но каку́ю **ма́рку маши́ны** вы хоти́те: БМВ, Тойо́та, Хёнда́й, Фольксва́ген? **Извини́те за вопро́с**, но **ско́лько у вас де́нег**?

— Ничего́ не понима́ю! Что э́то тако́е — «БМВ, Тойо́та, Хёнда́й»? А де́ньги — о, э́то **нева́жно**... Де́ньги у меня́ есть!

— Ну, тогда́ **про́сто замеча́тельно**! Обы́чно пробле́мы начина́ются, когда́ мы говори́м о **цене́**... Мо́жет быть, де́вушка, вы хоти́те посмотре́ть, каки́е маши́ны у нас есть? На́ши маши́ны все о́чень краси́вые, но **ра́зные**. Когда́ бу́дете у нас, вы мо́жете всё уви́деть.

— Ой, а ро́зовые маши́ны у вас есть? Я вчера́ купи́ла но́вое си́нее пальто́ и **мо́дную** зелёную су́мку «Гу́ччи». Если ещё купи́ть и **ро́зовую** маши́ну, — э́то бу́дет **кру́то**!

— Коне́чно, коне́чно, и ро́зовые, и зелёные — всё есть. Мы ждём вас.

— Хорошо́, е́ду. Како́й а́дрес?

продава́ть —
to sell

ма́рка маши́ны
— *make of a car*

нева́жно —
not important

цена́ — *price*

ра́зный —
different

мо́дная —
fashionable
ро́зовый — *pink*
кру́то — *cool*

извини́те за вопро́с — *sorry for the question*
ско́лько у вас де́нег? — *how much money do you have?*
про́сто замеча́тельно — *just fine*

2. Зако́нчите предложе́ния.

1) Де́вушка звони́т в торго́вый центр, потому́ что она́ хо́чет...

2) Де́вушка не зна́ет, каку́ю ма́рку маши́ны она́ хо́чет купи́ть, потому́ что она́...

3) Де́вушка спроси́ла о ро́зовых маши́нах, потому́ что она́ неда́вно купи́ла...

4) Де́вушке понра́вился магази́н, и она́ реши́ла...

Где?

Имена существительные в предложном и винительном падежах

1. Понимаете ли вы слово *тала́нтливый*?

2. Если человек устал, он чувствует себя хорошо или плохо? Вы устали или нет? Спросите у соседей справа и слева: они устали или не устали? Запишите в тетрадь формы глаголов *устава́ть/уста́ть*.

3. Читайте текст. Попробуйте запомнить, где лежат вещи Николая.

Никола́й — тала́нтливый челове́к. Он изуча́ет матема́тику, фи́зику, исто́рию, литерату́ру и иностра́нные языки́. Он хорошо́ у́чится, он о́чень мно́го зна́ет, но он обы́чно не зна́ет, где лежа́т его́ **ве́щи**.

ве́щи — *stuff*

Вчера́ он купи́л кни́гу. Сейча́с он хо́чет её почита́ть, но где она́? В су́мке? Нет, там нет. В су́мке други́е кни́ги, па́спорт, **очки́**, **носки́**... Где но́вая кни́га? На столе́? То́же нет. На столе́ ла́мпа, **ча́йник**, **ча́шка**, **ви́лка**, **нож**, боти́нки, ку́ртка. Где же кни́га? Мо́жет быть, в столе́? Там часы́, ди́ски и **руба́шка**. Мо́жет быть, кни́га на по́лке? Нет. В кни́жном шкафу́? Нет.

очки́ — *glasses*
носки́ — *socks*

ча́йник — *teapot*
ча́шка — *cup*
ви́лка — *fork*
нож — *knife*
руба́шка — *shirt*
холоди́льник — *fridge*
варе́нье — *jam*

Никола́й уста́л. Он хо́чет есть. Он открыва́ет **холоди́льник** и ви́дит колбасу́, ма́сло, сыр, **варе́нье** и кни́гу.

4. Ответьте на вопросы.

1) Что изуча́ет Никола́й?
2) Как вы ду́маете, где он у́чится?
3) Что он купи́л вчера́?
4) Что лежи́т у Никола́я в су́мке?
5) А на столе́?
6) А в столе́?
7) Он бы́стро нашёл кни́гу и́ли до́лго иска́л её?
8) Где же была́ кни́га?

5. А вы знаете, где лежат ваши вещи?
Расскажите, что где стоит, лежит, висит в вашей комнате.

6. Распределите слова по группам.

С л о в а: носки́, ма́сло, ча́йник, стол, боти́нки, сыр, ку́ртка, ча́шка, колбаса́, ви́лка, я́блоко, гру́ша, руба́шка, нож, по́лка, кни́жный шкаф, варе́нье.

Оде́жда: _____

_____ .

Ме́бель: _____

_____ .

Посу́да: _____

_____ .

Проду́кты (еда́): _____

_____ .

7. Закончите фразы.

1) Никола́й купи́л ...
2) Он не зна́ет, ...
3) На столе́ ча́йник, ча́шка, ви́лка, нож ...
4) Он открыва́ет холоди́льник и ви́дит колбасу́, ма́сло, сыр, варе́нье и ...

Давай пойдём в ресторан!

Имена существительные
в винительном падеже, императив

1. Читайте текст.

Разговаривают два друга, Пётр и Алексей.

— Петя, давай пойдём в ресторан!

— Хорошо, Алексей, в какой ресторан ты хочешь пойти?

— Я хочу в хороший ресторан, где **вкусная еда.**

вкусная еда —
tasty food

— Ладно, пойдём в «Алые паруса».

— Нет, не хочу, **мне** он не нравится. И я был там в пятницу.

мне — *me*

— **Тогда** в «Аэлиту», может быть?

— Это просто **ужасное** место! Там слишком **высокие цены**!

тогда — *then*
ужасный — *awful*
высокая цена —
high price

— Слушай, **что с тобой происходит?** Ты меня **зовёшь** в ресторан, но тебе всё не нравится! Если ты не хочешь отдыхать как **нормальный** человек, иди домой. Когда придёшь домой, приготовь себе **яичницу**, включи телевизор на кухне. **Сиди один** и **будь доволен**!

звать — *to invite*
нормальный —
ordinary
яичница —
fried eggs

что с тобой происходит? — *what's going on with you?*
сиди один — *stay alone*
будь доволен — *enjoy yourself*

2. Образуйте форму императива.

1) (Включи́ть) _____ свет!

2) (Идти́) _____ за́втра в кино́!

3) (Позва́ть) _____ свою́ де́вушку на хоро́ший кон-
це́рт!

4) Не (ду́мать) _____ о плохо́м!

5) Не (тра́тить) _____ мно́го де́нег!

6) (Жить) _____ как хо́чешь, не (слу́шать) _____
_____ сове́тов други́х люде́й!

7) Не (не́рвничать) _____ из-за маши́ны, э́то не так
ва́жно!

На́ша семья́

Имена существительные в предложном и винительном падежах

1. Читайте стихотворение.

Это дом, э́то **сад**, э́то на́ша семья́ —	сад — *garden*
Сын и дочь, и жена́, и соба́ка, и я.	
Мы живём хорошо́, мы больши́е друзья́ —	
Сын и дочь, и жена́, и соба́ка, и я.	

to draw on the wall

Лю́бит ма́ленький сын на стене́ рисова́ть,	*стена — wall*
До́чка в **мя́чик** на ку́хне игра́ет **опя́ть**,	мя́чик — *ball*
Раз — обе́д на полу́: суп, сала́т, пироги́...	опя́ть — *again*
А соба́ка в углу́ ти́хо ест **сапоги́**.	раз — *suddenly*
	сапоги́ — *boots*

пол — floor

corner = угол

Сапоги́ э́ти но́вые лю́бит жена́,	
И поэ́тому **пла́чет** и пла́чет она́.	пла́кать — *to cry*
«Ты не плачь, — говорю́, — я куплю́ сапоги́...»	
На полу́ на́ши де́ти едя́т пироги́...	

32

...Спит соба́ка в саду́, де́ти пла́чут в углу́,
А жена́ **убира́ет** еду́ на полу́.
Я чита́ю газе́ту и ем пироги́,
На шкафу́ — все боти́нки и все сапоги́.

И, **коне́чно**, мы о́чень больши́е друзья́ —
Сын и дочь, и жена́, и соба́ка, и я...

убира́ть —
to clean up

коне́чно —
of course

2. Найдите рифму.

Я _семья, друзья_
рисова́ть _опять_
пироги́ _сапоги_
жена́ _она_
в углу́ _на полу_
семья́ _я, друзья_

3. Поставьте существительные в форму предложного падежа.

Пол — на _____, у́гол — в _____, шкаф — на _____, сад — в _____, ку́хня —на _____, стена́ — на _____.

4. Дополните предложения словами из текста (возможны варианты).

Соба́ка ест _____ .
Де́ти едя́т _____ .
Я куплю́ _____ .
Жена́ убира́ет _____ .
Я чита́ю _____ и ем _____ .
Соба́ка спит _____ .
До́чка игра́ет _____ .
Мы живём _____ .

5. Вы́учите стихотворе́ние наизу́сть.

Культу́ра и любо́вь

Имена существительные и имена прилагательные в предложном
и винительном падежах, глаголы в настоящем и прошедшем времени

1. Понима́ете ли вы слова́ *консервато́рия, бараба́н, фле́йта, хи́нди, культу́ра?*

2. Найди́те однокоренны́е слова́.

Роди́лся, сча́стье, пиани́но, люби́ть, учи́ться, роди́тели, учи́ть, любо́вь, счастли́вый, пиани́ст, вы́учить.

3. Чита́йте текст.

Мой друг Па́трик — англича́нин. Он роди́л-ся, жил и учи́лся в А́нглии, но его́ **роди́тели** кита́йцы. Они́ живу́т в А́нглии уже́ три́дцать лет, но по-англи́йски говоря́т пло́хо. А Па́трик, их сын, пло́хо говори́т по-кита́йски. Он был в Кита́е, но он не о́чень лю́бит Кита́й. И А́нглию он не о́чень лю́бит. Он лю́бит Испа́нию, Росси́ю и А́фрику. Когда́ я спра́шиваю, почему́, он отвеча́ет: «Это тру́дно **объясни́ть**». Сейча́с Па́трик живёт в Ке́нии. Когда́ я чита́ю его́ пи́сьма, я понима́ю: он **счастли́вый** челове́к.

роди́тели — *parents*

объясня́ть — *to explain*
счастли́вый — *happy*

Мой друг Андре́й — ру́сский. Он лю́бит Лати́нскую Аме́рику, Япо́нию и Кита́й. Когда́ я спра́шиваю, почему́, он отвеча́ет: «Не зна́ю. Люблю́, и всё». Он был в Кита́е три **ра́за**, в Япо́нии — оди́н раз. Он вы́учил испа́нский и япо́нский языки́. **Сам**. Сейча́с он у́чит кита́йский язы́к.

раз — *time*
сам — *oneself*
знако́мый — *acquaintance*
пиани́ст — *pianist*
пиани́но — *piano*

Мой **знако́мый** Ко́стя — музыка́нт. Он хоро́-ший **пиани́ст**, учи́лся в Моско́вской консерва-то́рии. Но он не игра́ет на **пиани́но**, он игра́ет на инди́йском бараба́не и инди́йской фле́йте. Он о́чень лю́бит Индию и инди́йскую му́зыку. Он вы́учил хи́нди и сейча́с у́чится в консервато́рии в Де́ли. Он говори́т, что жить в Индии и игра́ть инди́йскую му́зыку — **сча́стье**.

сча́стье — *happiness*

Почему́ лю́ди лю́бят **чужу́ю** страну́, чужу́ю культу́ру, чужо́й язы́к? Никто́ не зна́ет. **Любо́вь** нельзя́ объясни́ть.

чужо́й — *foreign*
любо́вь — *love*

4. Отве́тьте на вопро́сы.

1) Каки́е стра́ны и контине́нты лю́бит Па́трик? Где он сейча́с живёт?

2) Каки́е стра́ны лю́бит Андре́й? Как вы ду́маете, где Андре́й живёт сейча́с?

3) Каку́ю страну́ лю́бит Ко́стя? Где он живёт и у́чится сейча́с?

4) Каки́е стра́ны, культу́ры и языки́ вы лю́бите? Вы мо́жете объясни́ть, почему́?

Ру́сский рок

Имена́ существи́тельные
в предло́жном и вини́тельном
падежа́х

1. Понима́ете ли вы слова́ *капиталисти́ческий, гита́ра, рок-музыка́нт, шоу-би́знес, поэ́т?*

2. Чита́йте текст.

В Сове́тском Сою́зе игра́ть рок бы́ло **нельзя́**. Потому́ что рок — э́то «плоха́я», «**за́падная**», «капиталисти́ческая» му́зыка.

нельзя́ — *forbidden*
за́падный — *western*

35

«Ах, нельзя?!» — говори́ли молоды́е лю́ди, бра́-
ли гита́ры, писа́ли му́зыку и стихи́, игра́ли и пе́-
ли ру́сский рок. Коне́чно, они́ получа́ли не де́-
ньги, а пробле́мы!

Сейча́с **изве́стные** росси́йские рок-музыка́н-
ты — бога́тые лю́ди.

извéстный —
famous

Но ру́сский рок — э́то не **про́сто** шоу-би́знес,
э́то филосо́фия. Э́то интере́сная му́зыка, хоро́-
шие стихи́. **Иногда́** — стихи́ **гениа́льные**.

про́сто — *just*

Говоря́т, что совреме́нные рок-музыка́нты —
э́то но́вые ру́сские поэ́ты. А как сказа́л поэ́т Ев-
ге́ний Евтуше́нко, «поэ́т в Росси́и — **бо́льше, чем**
поэ́т...».

иногда́ —
sometimes
гениа́льный —
genius
бо́льше, чем —
more than

3. Пра́вда и́ли нет?

1) В Сове́тском Сою́зе не игра́ли рок-му́зыку.
2) Изве́стные росси́йские рок-музыка́нты — бога́тые лю́ди.
3) Ру́сский рок — э́то про́сто шоу-би́знес.
4) Ру́сский рок — э́то хоро́шая му́зыка и плохи́е стихи́.

Как дела́?

Имена существительные в предложном и винительном падежах

1. Понима́ете ли вы слова́ *оптимисти́чно, неформа́льный, колле́га*?

2. Чита́йте текст.

Во всём ми́ре изуча́ют англи́йский язы́к. Все
зна́ют, что по-англи́йски на вопро́с «Как дела́?»
на́до отвеча́ть: **«Отли́чно», «Прекра́сно», «Хоро-
шо́»**.

отли́чно —
excellent
прекра́сно —
great

Как обы́чно отвеча́ют на э́тот вопро́с ру́с-
ские? «Норма́льно», «Как всегда́», **«Ничего́»**, «Как

ничего́ — *so-so*

обы́чно», «**Потихо́ньку**». Не о́чень оптимисти́чно, пра́вда?

И не забыва́йте, что в ру́сском языке́ вопро́с «Как дела́?» — неформа́льный. Если вы спра́шиваете дру́га-россия́нина и́ли подру́гу-россия́нку, и́ли колле́гу «Как дела́?», вы мо́жете услы́шать в отве́т, что **голова́ боли́т**, ребёнок пло́хо у́чится и на рабо́те пробле́мы. Если не хоти́те слу́шать тако́й расска́з, **про́сто** скажи́те: «Здра́вствуйте!»

потихо́ньку — *quite alright*

про́сто — *just*

во всём ми́ре — *all over the world*
голова́ боли́т — *I have a headache*

3. Отве́тьте на вопро́сы.

1) Что на́до отвеча́ть на вопро́с «Как дела́?», когда́ вы говори́те по-англи́йски?

2) Что отвеча́ют ру́сские на вопро́с «Как дела́»?

4. А что отвечают в вашей стране на вопрос «Как дела?»

Я отве́тил на вопро́с

Имена существительные
в предложном и винительном
падежах

1. Читайте текст.

Одна́жды Сокра́т гуля́л. На у́лице **незнако́мый человек** спроси́л его́:

— Вы не зна́ете, где живёт Сокра́т?

незнако́мый
человек —
stranger

— На э́той у́лице, в до́ме **напро́тив**, — отве́тил Сокра́т.

Дверь откры́ла же́нщина, и челове́к спроси́л её:

— Могу́ я ви́деть Сокра́та?

— Сокра́т гуля́ет, ско́ро вернётся.

Челове́к **стал ждать** Сокра́та. Когда́ Сокра́т верну́лся домо́й, челове́к спроси́л:

— Я встре́тил вас на у́лице. Почему́ вы сра́зу не сказа́ли, что вы Сокра́т?

— Вы не сказа́ли, что хоти́те ви́деть Сокра́та. Вы спроси́ли, где он живёт. Я отве́тил на ваш вопро́с.

2. Отве́тьте на вопро́сы.

1) Кого́ встре́тил Сокра́т на у́лице?
2) Како́й вопро́с за́дал Сокра́ту незнако́мый челове́к?
3) Почему́ Сокра́т сра́зу не сказа́л, что он Сокра́т?

3. Соедини́те слова́ (образу́йте словосочета́ния).

встре́тить → на вопро́с
отве́тить → в до́ме
жить → Сокра́та

Из дневника́ молодо́го ме́неджера Серге́я А.

Имена существительные, личные и притяжательные местоимения в винительном падеже

1. Понима́ете ли вы слова́ *блонди́нка, брюне́тка*?

2. Соедини́те анто́нимы.

теря́ть/потеря́ть   траге́дия
коме́дия   у́мный
глу́пый   находи́ть/найти́

3. Читайте текст.

18 (восемна́дцатое) а́вгуста
2007 (две ты́сячи седьмо́го) го́да

Я люблю́ инжене́ра Ната́шу, брюне́тку. Ната́ша лю́бит на́шего **нача́льника** Дми́трия Оле́говича. Дми́трий Оле́гович лю́бит свою́ **секрета́ршу** Лю́дочку (блонди́нку). Его́ секрета́рша Лю́дочка лю́бит меня́. **Жаль**, что в на́шей фи́рме не рабо́тает Шекспи́р. Он мог написа́ть коме́дию. Или траге́дию?

нача́льник — *boss*
секрета́рь — *secretary*
жаль — *it's a pity*

30 (тридца́тое) декабря́
2007 (две ты́сячи седьмо́го) го́да

Была́ **корпорати́вная вечери́нка**.

Я ду́мал, блонди́нка Лю́дочка **глу́пая**. Но она́ **у́мная**! Она́ чита́ла Шекспи́ра. По-англи́йски.

Я ду́мал, брюне́тка Ната́ша у́мная. Но она́ глу́пая! Дми́трий Оле́гович расска́зывал глу́пые анекдо́ты — она́ **смея́лась**. Я рассказа́л у́мный анекдо́т — она́ не поняла́. **Пра́вда**, мой анекдо́т поняла́ то́лько Лю́дочка. Очень у́мная де́вушка.

корпорати́вная вечери́нка — *corporate party*
глу́пый — *silly*
у́мный — *clever*

смея́ться — *to laugh*
пра́вда — *to tell the truth*

8 (восьмо́е) ма́рта
2008 (две ты́сячи восьмо́го) го́да

Я **жени́лся** на Лю́дочке. Моя́ жена́ — краси́вая и у́мная блонди́нка.

Мы **потеря́ли рабо́ту**, и́щем но́вую, но ещё не нашли́.

Сиди́м до́ма, чита́ем Шекспи́ра по-англи́йски.

жени́ться — *to marry*

потеря́ть рабо́ту — *to lost the job*
сиде́ть до́ма — *to stay at home*

5. Правда или нет?

1) Сергей всегда любил секретаршу Людочку.
2) Начальник, Дмитрий Олегович, любил секретаршу Людочку.
3) Секретарша Людочка любила Сергея.
4) Секретарша Людочка любила своего начальника.
5) Дмитрий Олегович женился на инженере Наташе.
6) Сергей женился на секретарше Людочке.
7) Сергей и Людочка потеряли работу, когда поженились, потому что их начальник любил Людочку.

Россияне читали...
Россияне читают?

**Имена существительные
в предложном и винительном
падежах, глаголы в настоящем
и прошедшем времени**

1. Понимаете ли вы слова *престижно, детектив, классика*?

2. Читайте текст.

В **Советском Союзе** люди читали много. Читать и **иметь** книги было престижно.

Сейчас купить книгу легко. Книжные магазины — большие, красивые... Вы можете купить детективы, классику, новые книги, старые книги... Один американец купил в Москве книгу. Эту книгу он **искал** в Америке и не **нашёл**. Это книга на английском языке, и написал её американский писатель. В России, в хорошем книж-

Советский Союз
— *Soviet Union*
иметь — *to own*

искать —
to look for
найти — *to find*

ном магази́не, вы мо́жете купи́ть всё, что хоти́те! Ну, **почти́**...

почти́ — *almost*

Но россия́не сейча́с чита́ют не так мно́го, как **ра́ньше**.

ра́ньше — *before*

Потому́ что мно́го рабо́тают. Потому́ что есть телеви́зор и компью́тер. В на́ше вре́мя мно́го чита́ть, к сожале́нию, не прести́жно. Прести́жно име́ть мно́го де́нег, дорогу́ю маши́ну, большу́ю кварти́ру. Прести́жно ходи́ть в хоро́ший рестора́н и е́здить **за грани́цу** отдыха́ть.

за грани́цу — *abroad*

Россия́не чита́ют, не так мно́го, как ра́ньше, но чита́ют. Молоды́е лю́ди нахо́дят кни́ги в Интерне́те. Лю́ди **поста́рше** лю́бят обы́чные, бума́жные кни́ги.

поста́рше — *elder*

Вы берёте кни́гу, открыва́ете её... **Путеше́ствие** начало́сь!

путеше́ствие — *journey*

3. Отве́тьте на вопро́сы.

1) Мно́го и́ли ма́ло чита́ли лю́ди в Сове́тском Сою́зе?
2) Почему́ совреме́нные россия́не чита́ют не так мно́го, как ра́ньше?

4. А в ва́шей стране́ лю́ди чита́ют мно́го и́ли ма́ло? Чита́ть и име́ть кни́ги прести́жно и́ли нет?
Что вы лю́бите чита́ть?

РОДИТЕЛЬНЫЙ ПАДЕЖ

Алло́! Это Москва́?

Имена существительные в родительном падеже

1. Прочитайте диалог.

—Алло́! Анна, ты меня́ слы́шишь?

—Это не Анна.

—А кто э́то?

—Это Ка́тя.

—Извини́те, **пло́хо слы́шно**. Это Ле́на. Я подру-   звони́ть — *to call*
га Анны. Я из Но́вгорода **звоню́**. А́нну мо́жно?

—Здесь нет Анны.

—Нет Анны? Это магази́н?

—Нет, э́то не магази́н.

—А что э́то?

—Это по́чта.

—По́чта? Кака́я по́чта? Это Москва́?

—Нет, э́то не Москва́. Это Петербу́рг.

_____

пло́хо слы́шно — *can't hear you*

2. Ответьте на вопросы.

1) Отку́да звони́т Ле́на?
2) В како́й го́род хоте́ла позвони́ть Ле́на?
3) В како́й го́род она́ позвони́ла?

Соба́ка то́чка ру

Имена существительные
в родительном и предложном
падежах

1. Понимаете ли вы слова *компью́тер, Интерне́т, электро́нная по́чта*?

2. Читайте текст.

Компью́тер... Интерне́т... E-mail, и́ли а́дрес электро́нной по́чты... Это **знако́мые слова́**... У **ка́ждого** челове́ка есть компью́тер. У ка́ждого челове́ка есть электро́нный а́дрес.

Меня́ зову́т Ната́ша. Я преподава́тель. Мои́ студе́нты — иностра́нцы. Они́ спра́шивают: «Ната́ша, у вас есть e-mail?» Я отвеча́ю: «Коне́чно, есть. Вот он...» И я говорю́ обы́чные слова́ «...соба́ка то́чка ру». Мои́ студе́нты смею́тся: «Кака́я соба́ка? Почему́ соба́ка? Мы ничего́ не понима́ем». А всё легко́ и про́сто. «Соба́ка», и́ли «@» — э́то знак электро́нной по́чты в Росси́и.

В Герма́нии э́тот знак называ́ется «**обезья́на**». В Финля́ндии — «**ко́шка**». В Ту́рции — «**ро́за**». А как называ́ется э́тот знак в ва́шей стране́?

знако́мый —
  familiar
сло́во — *word*
ка́ждый — *every*

обезья́на —
  monkey
ко́шка — *cat*
ро́за — *rose*

3. Ответьте на вопросы.

1) Почему́ «компью́тер», «Интерне́т», «электро́нный а́дрес» — знако́мые слова́?

2) Почему́ студе́нты смею́тся и ничего́ не понима́ют?

3) Что тако́е «соба́ка»?

4. Напишите, где знак «@» называется…

1) _____ э́тот знак называ́ется «соба́ка».
2) _____ э́тот знак называ́ется «ко́шка».
3) _____ э́тот знак называ́ется «ро́за».
4) _____ э́тот знак называ́ется «обезья́на».
5) _____ э́тот знак называ́ется «_____

_____».

Я — несча́стный челове́к

Имена существительные
в родительном и предложном
падежах

1. Читайте текст.

Я — **несча́стный** челове́к.
Уже́ мно́го лет
В мое́й жи́зни сча́стья нет,
Де́нег то́же нет.

Ни копе́йки, ни рубля́ —
В **кошельке́** моём.
Впро́чем, нет и кошелька́ —
Для чего́ мне он?

Ни подру́ги, ни жены́,
Да́же ко́шки нет.
Не́ту в **ча́йнике** воды́,
В ва́нной — **све́та** нет...

несча́стный —
unhappy

кошелёк — *purse*
впро́чем —
however

да́же — *even*
не́ту — *no*
ча́йник —
tea-kettle
свет — *light*

2. Скажите, чего нет у несчастного человека?

Как он может решить свои проблемы? Что нужно сделать сначала, что — потом?

О б р а з е ц: «Снача́ла ну́жно нали́ть во́ду в ча́йник, пото́м...»

В а м п о м о г у т с л о в о с о ч е т а н и я: найти́ рабо́ту, купи́ть кошелёк, купи́ть ла́мпу в ва́нную, нали́ть во́ду в ча́йник.

Бога́тые и бе́дные

Имена существительные в родительном падеже

1. Читайте диалог.

— Ома́р, ты **бога́тый**?

— Нет, Ко́ля, я не бога́тый. Но и не **бе́дный**.

бога́тый — *rich*

бе́дный — *poor*

— А маши́на у тебя́ есть?

— Есть. Две.

— А кварти́ра?

— Кварти́ры у меня́ нет, но есть дом. Не о́чень большо́й, но краси́вый.

— А магази́н у тебя́ есть?

— И магази́ны есть. Четы́ре и́ли пять. Не по́мню.

— А авто́бус?

— Есть у меня́ и авто́бусы. Два. Ма́ленькие, но хоро́шие. Но́вые.

—У тебя́, коне́чно, и **самолёт** есть?

—Нет. Самолёта у меня́ нет. То́лько **вертолёт**. Я же говорю́: я челове́к небога́тый!

самолёт — *plane*

вертолёт — *helicopter*

2. У вас есть машина? У вас есть автобус? У вас есть самолёт? У вас есть вертолёт? У вас есть квартира? У вас есть дом? У вас есть магазин? А у вашего брата? А у вашей сестры? А у вашего друга? А у вашей подруги? А у Омара?

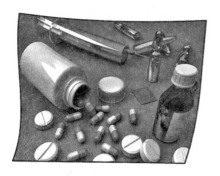

Диа́гноз

Имена существительные
в родительном падеже

1. Понимаете ли вы слово *температу́ра*?

2. Читайте диалог.

—Здра́вствуйте, до́ктор.

—Здра́вствуйте. Слу́шаю вас.

—У меня́ боли́т **го́рло**, у меня́ боли́т **голова́**, у меня́ высо́кая **температу́ра**... У меня́ **си́льный ка́шель**. У меня́ си́льный **на́сморк**.

—Кака́я у вас температу́ра?

—Три́дцать во́семь и три.

—У вас **грипп**. Или **просту́да**... Я **вы́пишу лека́рство**. **Принима́йте** его́ у́тром и ве́чером.

—Спаси́бо, до́ктор... Извини́те, а у меня́ грипп и́ли просту́да?

—А у ва́шей жены́ температу́ры нет?

го́рло — *throat*
голова́ — *head*
температу́ра — *temperature*
си́льный ка́шель — *bad cough*
на́сморк — *running nose*
грипп — *flu*
просту́да — *cold*
принима́ть — *to take*

— Нет.

— А у ва́шего сы́на го́рло не боли́т?

— Нет, у него́ го́рло не боли́т.

— А у до́чери есть на́сморк и ка́шель?

— Нет. А почему́ вы спра́шиваете?

— Если **ско́ро заболе́ют** ва́ша жена́ и де́ти, **зна́чит**, у вас грипп. А е́сли они́ не заболе́ют, зна́чит, у вас просту́да.

ско́ро — *soon*
заболе́ть — *to fall ill*
зна́чить — *to mean*

_____
вы́писать лека́рство — *to subscribe medicine*

3. Отве́тьте на вопро́сы.

1) Что у него́ боли́т?
2) У него́ есть ка́шель, на́сморк?
3) У него́ есть температу́ра?
4) А у его́ жены́?
5) А у его́ сы́на?
6) А у его́ до́чери?
7) Что говори́т врач? Это грипп и́ли просту́да?

4. У вас был грипп или простуда? Как вы себя чувствовали?

Вечери́нка

Имена существительные
в родительном и винительном
падежах

1. Понима́ете ли вы слова́: *го́сти, су́ши, пи́цца, карао́ке, брейк, ламба́да, рок-н-ро́лл, мили́ция?*

2. Читайте текст.

У Игоря день рожде́ния. У Игоря го́сти — студе́нты-иностра́нцы и ру́сские. Оди́н студе́нт из Индии пьёт чай и слу́шает му́зыку. Одна́ студе́нтка из Голла́ндии танцу́ет инди́йский **та́нец**. Два студе́нта из Ита́лии едя́т су́ши, пьют вино́ и говоря́т по-ру́сски. Три студе́нта из Япо́нии едя́т пи́ццу и **молча́т**. Четы́ре студе́нта из Коре́и пьют во́дку и пою́т карао́ке. Пять студе́нтов из Брази́лии танцу́ют ламба́ду, рок-н-ро́лл и брейк. Ру́сские студе́нты (пятна́дцать челове́к) слу́шают му́зыку, пьют во́дку, вино́ и чай, едя́т пи́ццу и су́ши, пою́т карао́ке, танцу́ют рок-н-ро́лл и брейк, крича́т «Ура́!» и слу́шают му́зыку.

Отли́чная была́ **вечери́нка**! Непоня́тно, почему́ сосе́ди **вы́звали** мили́цию?

та́нец — *dance*

молча́ть — *to keep silence*

отли́чный — *excellent*
вечери́нка — *party*
вы́звать — *to call*

3. Посчитайте и скажите, сколько всего студентов было на вечеринке.

4. Напишите, что делали студенты (заполните пропуски глаголами в форме прошедшего времени).

Студе́нты _____ му́зыку, _____ инди́йский та́нец, рок-н-ро́лл и брейк, _____ су́ши и пи́ццу, _____ во́дку, вино́ и чай.

Театра́льная пло́щадь
Имена существительное в предложном и родительном падежах

1. Понимаете ли вы слова *молодёжный, драмати́ческий, сце́на*?

2. Читайте текст.

Мно́гие зна́ют, что Большо́й теа́тр нахо́дится на Театра́льной пло́щади. Но не все зна́ют, что на э́той пло́щади не оди́н, а три теа́тра: Большо́й теа́тр, Ма́лый теа́тр и Росси́йский молодёжный теа́тр. Большо́й — э́то теа́тр о́перы и бале́та, а вот Ма́лый и Росси́йский молодёжный — драмати́ческие.

Сейча́с в Большо́м теа́тре — большо́й **ремо́нт**. Но вы мо́жете посмотре́ть **спекта́кли** теа́тра на Но́вой сце́не. Она́ то́же нахо́дится на Театра́льной пло́щади. Кста́ти, биле́ты лу́чше покупа́ть в э́той ка́ссе.

ремо́нт — *repair*
спекта́кль —
a play

А вот **ближа́йшая** ста́нция метро́ — «Охо́тный ряд». Ста́нция «Театра́льная» нахо́дится немно́го да́льше. Приходи́те в Большо́й теа́тр, и вы уви́дите **замеча́тельные** спекта́кли, о кото́рых зна́ет весь мир.

ближа́йший —
nearest

замеча́тельный
— *extraordinary*

3. Отве́тьте на вопро́сы.

1) Где нахо́дится Большо́й теа́тр?
2) Каки́е ещё теа́тры здесь есть?
3) Где мо́жно посмотре́ть спекта́кли Большо́го теа́тра?

В оди́н прекра́сный день…
(из дневника́ студе́нта Ива́на М.)
Имена́ существи́тельные в предло́жном, вини́тельном и роди́тельном падежа́х

1. Чита́йте текст.

У́тро. Воскресе́нье. Кака́я хоро́шая пого́да!
Я хочу́ есть. Но…
У меня́ нет хле́ба. У меня́ нет ри́са. У меня́ нет са́хара. У меня́ нет ча́я. У меня́ нет колбасы́. У меня́ нет сы́ра. У меня́ нет мя́са.

Но у меня есть ма́сло и одно́ яйцо́. Хорошо́. Я могу́ пригото́вить яи́чницу. Я о́чень люблю́ **яи́чницу**! Но у меня́ нет со́ли.

Коне́чно, я могу́ купи́ть соль, но магази́н далеко́. Я не люблю́ магази́ны. Я не хочу́ идти́ в магази́н.

Но у меня́ есть сосе́дка Мари́на. Магази́н далеко́, а Мари́на ря́дом: я живу́ в кварти́ре два́дцать пять, она́ живёт в кварти́ре два́дцать шесть.

Мари́на краси́вая и до́брая. Я не люблю́ магази́ны, но я люблю́ Мари́ну. Я ду́маю, она́ меня́ то́же лю́бит.

Вот кварти́ра два́дцать шесть. Но дверь открыва́ет не Мари́на. Дверь открыва́ет друг Мари́ны. Он **боксёр**. Он не лю́бит меня́. А я не люблю́ его́.

— Каки́е пробле́мы? — спра́шивает боксёр.

— Извини́, — говорю́ я. — Я ду́мал, э́то моя́ дверь. Но э́то не моя́ дверь. Э́то дверь Мари́ны. До свида́ния.

Мо́жно пригото́вить яи́чницу без со́ли — э́то не о́чень пло́хо. Но и э́то не о́чень хорошо́. Я ду́маю: у меня́ нет **еды́**, но я не хочу́ идти́ в магази́н. Я не люблю́ магази́ны. Сего́дня воскресе́нье! Я хочу́ отдыха́ть. Я ду́маю, на́до пообе́дать в рестора́не.

Вот хоро́ший рестора́н. Я чита́ю меню́. Суп. Бифште́кс. Сала́т. Вино́... Отли́чно! И недо́рого...

Вдруг я ви́жу Мари́ну. И её дру́га, боксёра. Они́ то́же хотя́т пообе́дать в рестора́не. Я слы́шу, как боксёр спра́шивает Мари́ну:

яи́чница —
fried eggs
коне́чно —
of course

боксёр — *boxer*

еда́ — *food*

— Что здесь де́лает твой сосе́д?

— Я не зна́ю! — говори́т Мари́на.

— Слу́шай, я не по́нял, почему́ сего́дня у́тром ты хоте́л ви́деть Мари́ну? — спра́шивает меня́ боксёр.

— Потому́ что у меня́ нет со́ли, а магази́н далеко́, — говорю́ я.

— А почему́ ты здесь?

— Потому́ что я хочу́ есть.

— А я не хочу́ ви́деть тебя́! — говори́т он.

— Я то́же не хочу́ ви́деть тебя́. Я хочу́ есть бифште́кс и пить вино́.

Мари́на ничего́ не говори́т. Она́ изуча́ет меню́.

— А Мари́ну ты хо́чешь ви́деть? — спра́шивает боксёр.

— Хочу́, — говорю́ я. — Она́ така́я краси́вая...

* * *

Пя́тница. Како́й хоро́ший день! Я в больни́це. Это медсестра́. Её зову́т Ка́тя. Некраси́вая, но о́чень до́брая де́вушка.

Врачи́ в э́той больни́це то́же о́чень хоро́шие.

Мой глаз ви́дит хорошо́. Моя́ рука́ рабо́тает отли́чно.

Всё норма́льно. Я могу́ идти́ домо́й.

Но **снача́ла** я иду́ в магази́н и покупа́ю проду́кты.   снача́ла — *first*

2. Отве́тьте на вопросы.

1) Почему́ Ива́н реши́л попроси́ть соль у сосе́дки?
2) Кто был у Мари́ны в гостя́х?

3) Кто кого́ лю́бит?

4) Кто кого́ не лю́бит?

5) Почему́ Ива́н реши́л не ходи́ть в магази́н?

6) Где он реши́л пообе́дать?

7) Кого́ он встре́тил в рестора́не?

8) О чём спроси́л Ива́на друг Мари́ны, боксёр?

9) Что отве́тил Ива́н?

10) Ско́лько вре́мени Ива́н был в больни́це?

3. А у вас есть хоро́шая соседка (хоро́ший сосед)? Вы можете попроси́ть соль у соседа (у соседки)? Вы любите ходи́ть в магази́н? Вы часто ходи́те в рестора́н? Расскажите о ваших любимых рестора́нах. Какое там меню́?

Фило́соф и бога́ч

Имена существительные в родительном падеже

1. Найдите однокоренные слова.

Бога́ч, люби́ть, счастли́вый, бога́тый, люби́мый, сча́стье, несча́стный.

2. Читайте текст.

Жил оди́н **фило́соф**.

Этот фило́соф был о́чень бе́дный. У него́ не́ было де́нег, не́ было семьи́: не́ было жены́, не́ было сы́на, не́ было до́чери. У него́ не́ было до́ма, он жил у дру́га.

Но у фило́софа всегда́ бы́ло хоро́шее **настрое́ние**. Он ду́мал: «Кака́я хоро́шая у меня́ жизнь! У меня́ о́чень хоро́ший друг. Друг бога́тый. У дру́га хоро́ший дом. Я живу́ в до́ме дру́га, я могу́ чита́ть, писа́ть, ду́мать...» Фило́соф был **счастли́вый** челове́к.

фило́соф —
philosopher

настрое́ние —
mood

счастли́вый —
happy

А бога́тый друг фило́софа был **несча́стный** челове́к. У него́ был хоро́ший большо́й дом, мно́го де́нег, **люби́мая** жена́, **у́мный** сын, краси́вая дочь, но у него́ всегда́ бы́ло плохо́е настрое́ние. Он ка́ждый день ду́мал: «У меня́ краси́вая жена́, но, кто зна́ет, мо́жет быть, че́рез де́сять лет она́ бу́дет некраси́вая? У меня́ у́мный сын. Но, кто зна́ет, мо́жет быть, он не о́чень у́мный? У меня́ краси́вая дочь, но, кто зна́ет, мо́жет быть, у неё бу́дет плохо́й муж? Сейча́с у меня́ мно́го де́нег. Но, кто зна́ет, мо́жет быть, за́втра у меня́ бу́дет ма́ло де́нег?»

И оди́н раз несча́стный бога́тый челове́к спроси́л у дру́га-фило́софа:

— Почему́ ты тако́й счастли́вый? У тебя́ нет де́нег, у тебя́ нет до́ма, у тебя́ нет жены́, у тебя́ нет сы́на, у тебя́ нет до́чери. Почему́ у тебя́ всегда́ хоро́шее настрое́ние? И почему́ я — тако́й несча́стный?

— Я сам выбира́ю сча́стье, — отве́тил фило́соф.

3. Правда или нет?

1) Фило́соф был несча́стный челове́к.
2) Бога́ч был счастли́вый челове́к.
3) У фило́софа была́ люби́мая жена́.
4) У богача́ бы́ло мно́го де́нег.
5) У фило́софа и у богача́ всегда́ бы́ло хоро́шее настрое́ние.
6) У богача́ был у́мный сын.
7) У фило́софа была́ краси́вая дочь.

несча́стный — *unhappy*

люби́мый — *darling*

у́мный — *clever*

Макс и Мари́на

Имена существительные и имена прилагательные в родительном падеже

1. Читайте текст.

Познако́мьтесь: э́то Мари́на, моя́ **сосе́дка**. У неё есть друг, его́ зову́т Макс. У Мари́ны больша́я, хоро́шая кварти́ра. А у Ма́кса нет кварти́ры. Поэ́тому он живёт в кварти́ре Мари́ны.

У Мари́ны больша́я, хоро́шая маши́на — джип. А у Ма́кса нет маши́ны. Поэ́тому он е́здит на маши́не Мари́ны.

У Мари́ны хоро́шая, интере́сная рабо́та. Она́ — худо́жник. У Мари́ны тала́нт. Поэ́тому у Мари́ны нет **свобо́дного вре́мени**.

А у Ма́кса нет рабо́ты. У него́ нет профе́ссии. Поэ́тому у Ма́кса есть свобо́дное вре́мя. Он **це́лый день** спит на крова́ти Мари́ны, отдыха́ет в кре́сле Мари́ны...

Но Макс о́чень краси́вый: у него́ больши́е чёрные глаза́ и прекра́сная фигу́ра. Вы ду́маете, у Ма́кса нет тала́нта? Есть! У Ма́кса то́же есть тала́нт: он **уме́ет** дава́ть **ла́пу** и **виля́ть хвосто́м**. И ещё у Ма́кса всегда́ хоро́шее **настрое́ние**. Макс — лу́чший друг Мари́ны.

сосе́дка — *neighbour*

це́лый день — *whole day*

уме́ть — *can*
ла́па — *paw*
настрое́ние — *mood*

свобо́дное вре́мя — *free time*
виля́ть хвосто́м — *to shake tail*

2. Дополните предложения по образцу.

О б р а з е ц: У Мари́ны есть кварти́ра. А у Ма́кса нет кварти́ры.

У Ната́ши есть соба́ка. А у И́горя нет ... .

У Ле́ны есть рабо́та. А у Иры нет ... .
У Ма́ши есть компью́тер. А у Да́ши нет ... .
У Дени́са есть моби́льный телефо́н. А у Гле́ба нет ... .
У Андре́я есть свобо́дное вре́мя. А у Серге́я нет ... .

3. Дополните предложения, используйте слова для справок.

У _____ тру́дная рабо́та.
У _____ опа́сная рабо́та.
У _____ интере́сная рабо́та.
У _____ ску́чная рабо́та.
У _____ лёгкая рабо́та.
У _____ весёлая рабо́та.
У _____ секре́тная рабо́та.
У _____ тяжёлая рабо́та.

С л о в а д л я с п р а в о к: бизнесме́н, банки́р, мини́стр, шпи-
о́н, кло́ун, худо́жник, учи́тель, продаве́ц.

Непра́вильный но́мер телефо́на

Личные местоимения в именительном, винительном
и родительном падежах

1. Читайте диалог.

—Алло́, слу́шаю вас!
—Ва́ся, э́то Ива́н, приве́т, я рад тебя́ слы́шать!
—Извини́те, я не Ва́ся, меня́ зову́т Юля. Вы
куда́ **звони́те**?   звони́ть — *to call*
—Я звоню́... Ва́ся — э́то мой хоро́ший друг, я
зна́ю, что э́то его́ **но́мер** телефо́на.   но́мер — *number*
—Како́й у него́ но́мер телефо́на?
—8 916 3354657.

— Нет, э́то **друго́й** но́мер, у меня́ **после́дняя цифра** друга́я. Вы **случа́йно набра́ли** друго́й но́мер.

— Извини́те, како́й у вас но́мер?!

— **Зачём вам** мой но́мер? Вы меня́ не зна́ете, я не зна́ю вас. Э́то оши́бка, до свида́ния, **всего́ хоро́шего!**

— **Подожди́те**, пожа́луйста! Юля, **послу́шайте** меня́! Пожа́луйста! Я бу́ду говори́ть, а вы бу́дете слу́шать. У меня́ больша́я проблéма, я до́лжен **рассказа́ть** о ней, пожа́луйста, послу́шайте меня́!

— Но я не врач-**психотерапéвт**! Я **занята́**, я на рабо́те! У меня́ нет вре́мени!

— Пожа́луйста, то́лько пять мину́т! То́лько пять мину́т!

— Хорошо́, но то́лько пять мину́т! **Что случи́лось?**

друго́й — *other*
после́дний — *last*
ци́фра — *figure*
случа́йно — *by chance*
набра́ть — *to dial*
зачём вам — *why do you need*
подожда́ть — *to hold on*
послу́шать — *to listen*
рассказа́ть — *to tell*
психотерапéвт — *psychotherapist*
за́нят — *busy*

всего́ хоро́шего — *best regards*
Что случи́лось? — *What's happened?*

2. Правда или нет?

1) Ива́н звони́т своему́ дру́гу Ва́се.
2) Юля, Ва́ся и Ива́н — бли́зкие друзья́.
3) Когда́ Ива́н звони́л Ва́се, он случа́йно набра́л друго́й но́мер.
4) Ива́н хо́чет говори́ть с Юлей, потому́ что она́ врач-психотерапéвт.
5) У Юли больша́я проблéма, она́ хо́чет рассказа́ть о ней.
6) Юля сейча́с до́ма, но она́ о́чень занята́.
7) Ива́н о́чень хо́чет, что́бы Юля послу́шала его́.

3. Как вы думаете, чем закончилась эта история?

«Про́бка»

1. Понимаете ли вы слово *пассажи́р*?

2. Читайте текст.

Неда́вно я е́хала в авто́бусе. Маши́н на **доро́ге** было ма́ло, е́хали мы бы́стро и без пробле́м. Ря́дом **зазвони́л** моби́льный телефо́н. Де́вушка, кото́рая **сиде́ла** ря́дом, взяла́ телефо́н из су́мки.

— Алло́! Да, **дорого́й**, я е́ду! Да, опя́ть **опа́здываю**. Нет, непра́вда, я не всегда́ опа́здываю! То́лько на оди́н час опа́здываю, а ты так **кричи́шь**! Не **волну́йся**! Извини́, пожа́луйста, но я не винова́та! Здесь про́бка! Понима́ешь, **огро́мная** про́бка! Бу́ду мину́т че́рез три́дцать. Целу́ю!

Мину́т че́рез де́сять я услы́шала ещё оди́н телефо́нный разгово́р. Это был уже́ друго́й пассажи́р.

— Ива́н Ива́нович! Здра́вствуйте, э́то Влади́мир. Извини́те, я опа́здываю. **Ужа́сная** про́бка на у́лице Профсою́зная! Извини́те ещё раз! Бу́ду мину́т че́рез два́дцать.

Я поду́мала: «Как хорошо́, что есть така́я **удо́бная вещь** — про́бка на доро́ге!»

доро́га — *road*

зазвони́ть —
to start ringing
сиде́ть — *sit*
дорого́й —
darling
опа́здывать —
to be late
крича́ть —
to shout
волнова́ться —
to worry
огро́мный —
huge

ужа́сный —
terrible

удо́бная вещь —
great thing

3. Вы знаете, что значит «пробка»?

4. Ответьте на вопросы.

1) Была́ ли про́бка?
2) Почему́ пассажи́ры говори́ли, что была́ про́бка?
3) Что вы говори́те, когда́ опа́здываете?

5. Разыграйте аналогичный телефонный разговор.

Ска́зочный дом

Имена существительные и имена прилагательные
в родительном, винительном и предложном падежах

1. Читайте текст.

Москва́. Центр. Высо́кие дома́. И вдруг... Что
э́то?

Ма́ленький **деревя́нный** дом. Краси́вый — как
в **ска́зке**.

деревя́нный — *wooden*

ска́зка — *fairy tale*

Этот дом **постро́ил** худо́жник Ви́ктор Миха́й-
лович Васнецо́в, здесь он жил и рабо́тал. Если
вы бы́ли в Третьяко́вской галере́е, вы ви́дели его́
карти́ны. Кста́ти, **фаса́д** Третьяко́вской галере́и —
э́то то́же **прое́кт** Ви́ктора Миха́йловича Васне-
цо́ва.

постро́ить — *to build*

фаса́д — *front*

прое́кт — *project*

В музе́е Васнецо́ва мо́жно уви́деть краси́вую
ме́бель в ру́сском сти́ле, фотогра́фии, пи́сьма, и,
коне́чно, карти́ны.

ме́бель — *furniture*

На карти́нах — геро́и ру́сских ска́зок. Ска́зки
Ви́ктор Миха́йлович Васнецо́в о́чень люби́л.

Адрес музе́я легко́ **запо́мнить**: переу́лок Вас-
нецо́ва, дом 13.

запо́мнить — *to memorize*

2. Ответьте на вопросы.

1) Кто жил и рабо́тал в ма́леньком деревя́нном до́ме в це́нтре Москвы́?
2) Что мо́жно уви́деть в музе́е Васнецо́ва?

3. Вы любите живопись? Вы были в Третьяковской галерее? Вы видели картины Виктора Михайловича Васнецова? Вы любите сказки?

Берёза

Имена существительные
в единственном и множественном
числе в родительном падеже

1. Понимаете ли вы слова *си́мвол, анса́мбль, визи́тная ка́рточка*?

2. Читайте текст.

Берёза — э́то краси́вое и **не́жное де́рево**. В Росси́и мно́го берёз. Берёза — э́то си́мвол Росси́и. У нас есть мно́го пе́сен, стихо́в и карти́н о берёзе.

Берёза — э́то **си́льное де́рево**. Весно́й **ра́ньше всех** на берёзе мо́жно уви́деть молоды́е зелёные **ли́стья**.

Берёза — э́то де́рево-до́ктор. Лю́ди давно́ де́лают из берёзы **лека́рства**. Весно́й она́ даёт о́чень **поле́зный** сок. **Не́которые** лю́ди хо́дят в лес и пьют э́тот сок. Говоря́т, что он даёт **здоро́вье** и **си́лу**.

В Росси́и есть о́чень изве́стный анса́мбль та́нца «Берёзка». Э́тот анса́мбль лю́бят и зна́ют мно́-

не́жный —
delicate
си́льный —
strong
де́рево — *tree*
ра́ньше всех
— *earlier of all*
лист — *leaf*
лека́рство —
medicine
поле́зный —
useful
не́который —
some
здоро́вье —
health
си́ла — *strength*

59

гие лю́ди не то́лько в на́шей стране́, но и во всём ми́ре. «Берёзка» — э́то визи́тная ка́рточка Росси́и. В э́том анса́мбле танцу́ют о́чень краси́вые и **стро́йные**, как берёзки, де́вушки. Если вы хоти́те поня́ть Росси́ю, ну́жно **обяза́тельно** пойти́ на конце́рт анса́мбля «Берёзка». Это о́чень интере́сно и краси́во.

стро́йный — *slim*

обяза́тельно — *by all means*

А како́й си́мвол ва́шей страны́?

3. Отве́тьте на вопро́сы.

1) Почему́ берёза — э́то си́мвол Росси́и?
2) Почему́ берёза — э́то де́рево-до́ктор?
3) Како́й анса́мбль — визи́тная ка́рточка Росси́и? Почему́?

4. А вы бы́ли на конце́рте анса́мбля «Берёзка»? Вам понра́вился конце́рт?

ДАТЕЛЬНЫЙ ПАДЕЖ

Секре́т

Имена существительные
в дательном падеже

1. Понимаете ли вы слова *секре́т, колле́га, данти́ст, клие́нт?*

2. Читайте текст.

Я **откры́ла** свой **секре́т** подру́ге. Подру́га **вы́дала** мой секре́т **сосе́дке**. Сосе́дка вы́дала мой секре́т му́жу. Муж вы́дал мой секре́т бра́ту. Брат вы́дал мой секре́т колле́ге. Колле́га вы́дал мой секре́т жене́. Жена́ вы́дала мой секре́т данти́сту. Данти́ст вы́дал мой секре́т клие́нту. Клие́нт вы́дал мой секре́т **парикма́херу**. Парикма́хер вы́дал мой секре́т мне.

Мой секре́т зна́ет весь го́род, как я хоте́ла. Отли́чно!

откры́ть —
to reveal
секре́т — *secret*
вы́дать —
to reveal
сосе́дка —
neighbour
парикма́хер —
hairdresser

3. Задайте вопросы к каждому предложению первого абзаца текста.

О б р а з е ц: Я рассказа́ла мой секре́т подру́ге.
Кому́ она́ рассказа́ла свой секре́т?

4. Закончите предложения.

1) Сосе́дка вы́дала мой секре́т _____ .

2) Подру́га вы́дала мой секре́т _____ .

3) Жена́ вы́дала мой секре́т _____ .

4) Парикма́хер вы́дал мой секре́т _____ .

5) Данти́ст вы́дал мой секре́т _____ .

6) Брат вы́дал мой секре́т _____ .

7) Клие́нт вы́дал мой секре́т _____ .

8) Колле́га вы́дал мой секре́т _____ .

9) Муж вы́дал мой секре́т _____ .

До́брый ма́льчик

Существительные и личные местоимения в предложном и дательном падежах, глаголы в будущем времени

1. Читайте текст.

Па́па и сын бы́ли в магази́не. Ма́льчик уви́дел **бараба́н** и сказа́л па́пе: «Па́па, купи́ мне, пожа́луйста, э́тот кра́сный бараба́н. Я бу́ду на нём игра́ть! Этот бараба́н о́чень краси́вый!»

бараба́н — *drum*

«Нет, не куплю́, — отве́тил ему́ па́па. — Когда́ я бу́ду рабо́тать, ты бу́дешь игра́ть на бараба́не и **меша́ть** мне». — «Па́почка, я бу́ду игра́ть на нём, когда́ ты бу́дешь спать!»

меша́ть — *to disturb*

2. Ответьте на вопросы.

1) Где бы́ли сын и па́па?

2) Что уви́дел ма́льчик?

3) Почему́ ма́льчику понра́вился бараба́н?

4) Почему́ па́па не хоте́л покупа́ть сы́ну бараба́н?

3. Разыгра́йте сце́ну в магази́не по роля́м.

Пода́рок

Имена существительные в дательном падеже

1. Понима́ете ли вы слова́ *крем для лица́, аллерги́я, однокла́ссница*?

2. Вы зна́ете сло́во *друг*. А что зна́чит *дружи́ть*?

3. Чита́йте текст.

Ме́сяц наза́д у Ка́ти был **день рожде́ния**. Её **сосе́дка**, Мари́на, подари́ла Ка́те о́чень хоро́ший францу́зский крем для лица́. Мари́на **привезла́** крем из Пари́жа. Но Мари́на не зна́ла, что у Ка́ти аллерги́я на э́тот крем.

сосе́дка — *neighbour*

привезти́ — *to bring*

Че́рез неде́лю был день рожде́ния у колле́ги Ка́ти. Колле́гу зову́т Алла. Ка́тя и Алла неда́вно рабо́тают вме́сте. Ка́тя подари́ла францу́зский крем Алле. Алле он о́чень понра́вился. Но в э́то вре́мя у неё бы́ло мно́го кре́мов для лица́, а **испо́льзовать** их мо́жно не бо́льше го́да. Поэ́тому Алла реши́ла подари́ть францу́зский крем свое́й однокла́сснице. Ра́ньше они́ учи́лись в одно́м кла́ссе, но дру́жат и сейча́с. Ка́ждый год пе́ред Но́вым го́дом они́ встреча́ются в кафе́, да́рят друг дру́гу пода́рки.

испо́льзовать — *to use*

Однокла́ссницу зову́т Мари́на. «Она́ неда́вно прие́хала из Пари́жа, ей бу́дет прия́тно получи́ть францу́зский крем. Мари́не нра́вится всё францу́зское», — ду́мала Алла.

день рожде́ния — *birthday*

4. Ответьте на вопросы.

1) Кому́ Мари́на подари́ла крем?
2) Отку́да она́ привезла́ э́тот крем?
3) Почему́ Ка́тя реши́ла подари́ть крем?
4) Кому́ Ка́тя подари́ла крем?
5) Алле понра́вился францу́зский крем?
6) Почему́ Алла реши́ла подари́ть крем?
7) Кому́ Алла пода́рит крем?

5. Какие подарки вы любите получать? Кому вы дарите подарки? Что вы дарите?

Странна́я семья́

Имена существительные
в винительном и дательном
падежах

1. Понимаете ли вы слово *норма́льный*?

2. Читайте текст.

Меня́ зову́т Светла́на. У моего́ бра́та Анто́на норма́льная семья́. На Но́вый год он обы́чно да́рит футбо́льный **мяч** сы́ну, потому́ что сын лю́бит футбо́л. Он да́рит но́вое пла́тье до́чери, потому́ что она́ лю́бит краси́вую оде́жду. Он да́рит **духи́** жене́, потому́ что его́ жена́ лю́бит францу́зские духи́.

мяч — *ball*

духи́ — *perfume*

А у меня́ семья́ о́чень стра́нная. Я дарю́ футбо́льный мяч до́чери, потому́ что она́ лю́бит игра́ть

в футбо́л. **Посу́ду — кастрю́ли** и **сковоро́дки** — я да-
рю́ му́жу, потому́ что он лю́бит гото́вить.

А муж мне да́рит... **бума́гу**! Потому́ что я писа́-
тель. Я люблю́ бума́гу, как кот молоко́.

А бра́ту я дарю́ лягу́шек... Не живы́х, коне́чно.
Он их коллекциони́рует.

посу́да —
crochery
кастрю́ля — *pot*
сковоро́дка —
frying pan
бума́га — *paper*

3. Отве́тьте на вопро́сы.

1) Кому́ и почему́ Анто́н да́рит футбо́льный мяч?
2) Кому́ и почему́ Анто́н да́рит краси́вое пла́тье?
3) Кому́ Анто́н да́рит францу́зские духи́?
4) Кому́ и почему́ Светла́на да́рит футбо́льный мяч?
5) Кому́ и почему́ она́ да́рит посу́ду?
6) Что и почему́ ей да́рит муж?
7) Кому́ Светла́на да́рит лягу́шек?

4. А что и кому́ вы обы́чно да́рите на Но́вый год, на Рождество́ и на день
рожде́ния?

Хоро́шая семья́

Имена существительные
в дательном падеже

1. Читайте текст.

Дво́е **пья́ных с трудо́м** иду́т по у́лице. Оди́н го-
вори́т **друго́му**:

пья́ный —
drunk man
с трудо́м —
hardly
друго́й — *other*

—Смотри́, вон там, ви́дишь, там мой дом. **Све́тлое** окно́ на пя́том этаже́, там **стои́т** краси́вая же́нщина — ви́дишь? О, э́то моя́ жена́! А **ря́дом** — **симпати́чный** мужчи́на, он **обнима́ет** её. Так э́то я!

све́тлый — *light*
стоя́ть — *to stand*
ря́дом — *nearby*
симпати́чный — *handsome*
обнима́ть — *to hug*

2. Зако́нчите предложе́ния.

1) Два пья́ных дру́га...
2) Пе́рвый пья́ный пока́зывает дру́гу свой..., своё... и свою́...
3) Около жены́ стои́т... и...
4) Пе́рвый пья́ный ду́мает, что э́то он...
5) Как вы ду́маете, така́я ситуа́ция мо́жет быть в жи́зни?

«Ла́сковое» и́мя

Существи́тельные в роди́тельном паде́же,
местоиме́ния в да́тельном паде́же, глаго́лы *изуча́ть* и *учи́ться*

1. Читайте текст.

Мы студе́нты-иностра́нцы. Мы прие́хали из ра́зных стран. Мы изуча́ем ру́сский язы́к. На́ша гру́ппа **интернациона́льная**. В на́шей гру́ппе есть студе́нт из Кита́я. Мы задаём ему́ вопро́с: «Как тебя́ зову́т?» Он отвеча́ет: «Меня́ зову́т Тимофе́й по-ру́сски. По-англи́йски Тим, а по-кита́йски Хун Ци Тин. Како́е и́мя вам нра́вится бо́льше всего́?» Мне нра́вится Тимофе́й, потому́ что по-ру́сски мо́жно ещё сказа́ть **ла́сково** «Тимо́ша», «Тимо́шечка», «Тимо́шенька», «Ти́мочка». В ру́сском языке́ о́чень мно́го «ла́сковых» су́ффиксов. Наприме́р, я прие́хала из Испа́нии. Меня́ зову́т Си́львия по-испа́нски, а по-ру́сски Светла́на. И мне нра́вится,

интернациона́ль-
ный —
international

ла́сково —
tenderly

когда́ мне говоря́т «Све́точка», «Свету́ля», «Свет-
ла́нка», «Светла́ночка», «Све́тик». Ру́сский язы́к
о́чень бога́тый и интере́сный.

2. Отве́тьте на вопросы.

1) Кто изуча́ет ру́сский язы́к?
2) Почему́ мо́жно сказа́ть, что их гру́ппа интернациона́льная?
3) Как зову́т студе́нта из Кита́я по-кита́йски? А по-англи́йски? А по-ру́сски?
4) А вам како́е и́мя нра́вится бо́льше всего́? Почему́?

3. В ва́шем родно́м языке́ мно́го «ласковых» суффиксов?

4. Запо́лните про́пуски глаго́лами *учи́ться* или *изуча́ть*.

1) Мы _____ ру́сский язы́к.
2) Мы _____ в университе́те вме́сте.
3) В на́шей гру́ппе _____ студе́нт из Кита́я.
4) Мы _____ ру́сские слова́.

Мужчи́не нра́вится же́нщина
**Имена существительные и личные местоимения
в дательном и винительном падежах**

1. Понима́ете ли вы слова́ *эксце́нтрик, рома́нтик, хара́ктер, буты́лка, фанта́зия*?

2. Соедини́те антонимы.

у́мный ——— несерьёзный
си́льный ——→ глу́пый
серьёзный слáбый

3. Чита́йте текст.

Мужчи́на да́рит же́нщине пода́рки. Что мо́гут
рассказа́ть пода́рки мужчи́ны о его́ хара́ктере?

Мужчи́на да́рит вам **игру́шку**? Вы для него́ — ребёнок. Он ду́мает, вы **сла́бая** и, мо́жет быть, **глу́пая**. Вы ничего́ не зна́ете и не понима́ете. А он — **у́мный** и **си́льный**.

Мужчи́на да́рит вам цветы́ и буты́лку? Это несерьёзный мужчи́на.

Он да́рит де́вушке **то́лько** буты́лку? **Кошма́р!** Что он о де́вушке ду́мает?!

Он да́рит ей цветы́ и конфе́ты? У него́ нет фанта́зии!

Муж да́рит жене́ одну́ ро́зу? **Скря́га!**

Шеф да́рит колле́ге **возду́шный ша́рик**? Эксце́нтрик!

Мужчи́на да́рит вам торт и пиро́жные? Дома́шний мужчи́на. Ему́ нужна́ жена́, вку́сная еда́, **удо́бный дива́н**...

игру́шка — *toy*
сла́бый — *weak*
глу́пый — *silly*
у́мный — *clever*
си́льный — *strong*

то́лько — *only*
кошма́р — *too bad*

скря́га — *screw*
возду́шный ша́рик — *baloon*

удо́бный — *comfortable*
дива́н — *sofa*

4. Зако́нчите фра́зы.

1) Если мужчи́на да́рит же́нщине игру́шку...
2) Если мужчи́на да́рит же́нщине цветы́ и буты́лку...
3) Если мужчи́на да́рит же́нщине то́лько буты́лку...
4) Если он да́рит ей цветы́ и конфе́ты...
5) Если муж да́рит жене́ ро́зу...
6) Если он вам да́рит возду́шный ша́рик...

5. Что вы хотите получить в подарок от любимого мужчины (от любимой женщины)?
Что вы дарите (что надо дарить) любимой женщине (любимому мужчине)?
Как вы думаете, что не надо дарить любимой женщине (любимому мужчине)? Почему?

Мне то́же не нра́вится, но…

Имена существительные и личные местоимения в дательном падеже

1. Читайте текст.

Муж и жена́ **пришли́** к врачу́, потому́ что муж **пло́хо себя́ чу́вствовал**. Врач **осмотре́л** мужчи́ну, пото́м **ти́хо** сказа́л жене́:

— К сожале́нию, я до́лжен сказа́ть, что ваш муж мне **совсе́м** не нра́вится…

— До́ктор, зна́ете, мне он уже́ давно́ совсе́м не нра́вится. Но он лю́бит меня́, он о́чень **до́брый** челове́к и **забо́тится** о на́ших де́тях.

прийти́ — *to come*
осмотре́ть — *to examine*
ти́хо — *quietly*
совсе́м — *at all*

до́брый — *kind*
забо́титься — *to take care*

пло́хо себя́ чу́вствовать — *not feel well*

2. Отве́тьте на вопро́сы.

1) Почему́ жена́ пришла́ с му́жем к врачу́?
2) Почему́ муж не нра́вится врачу́?
3) Как вы ду́маете, почему́ муж не нра́вится жене́?
4) Почему́ муж и жена́ продолжа́ют жить вме́сте?

Что де́лает Светла́на?

Имена существительные в винительном и дательном, падежах

1. Читайте текст.

У ма́мы две до́чери, Светла́на и Ма́ша. Ма́ма спра́шивает Ма́шу:

— А что де́лает Светла́на?

Ма́ша отвеча́ет ма́ме:

— Е́сли лёд **то́лстый**, она́ **ката́ется на конька́х**. А е́сли лёд **то́нкий**, она́ пла́вает…

лёд — *ice*
то́лстый — *thick*
то́нкий — *thin*

ката́ться на конька́х — *to skate*

2. Ответьте на вопросы.

1) Ско́лько дочере́й у ма́мы?
2) Как их зову́т?
3) Кого́ спра́шивает ма́ма?
4) Что де́лает Светла́на, е́сли лёд то́лстый?
5) Что де́лает Светла́на, е́сли лёд то́нкий?
6) Как вы ду́маете, в како́е вре́мя го́да ма́ма разгова́ривает с Ма́шей?

Тру́дный вы́бор

Имена существительные,
имена прилагательные
и местоимения в дательном
и винительном падежах

1. Читайте текст.

У Алекса́ндра бы́ло три де́вушки. Он не знал, каку́ю де́вушку вы́брать. Одна́жды он сказа́л своему́ дру́гу: «У меня́ три де́вушки. Они́ все хоро́шие. Я не зна́ю, каку́ю вы́брать?» Друг посове́товал ему́: «Дай ка́ждой де́вушке ты́сячу до́лларов и посмотри́, как они́ бу́дут **тра́тить э́ти де́ньги**»

Пе́рвая де́вушка купи́ла себе́ о́чень дорого́е пла́тье. Втора́я де́вушка купи́ла краси́вый костю́м Алекса́ндру. А тре́тья де́вушка **откры́ла свой би́знес** и купи́ла большу́ю кварти́ру и дорогу́ю маши́ну.

Друзья́ встре́тились ещё раз. «Ну как, каку́ю де́вушку ты вы́брал, пе́рвую, втору́ю и́ли тре́тью?» — спроси́л друг.

тра́тить —
to spend
де́ньги — *money*

откры́ть свой
би́знес —
*start one's own
business*

«Четвёртую! — отве́тил Алекса́ндр. — Потому́
что у неё са́мая краси́вая **фигу́ра**...»   фигу́ра — *shape*

2. Отве́тьте на вопро́сы.

1) Как зову́т молодо́го челове́ка?
2) Ско́лько де́вушек у него́ бы́ло?
3) Почему́ он не мог вы́брать де́вушку?
4) Что посове́товал Алекса́ндру друг?
5) Что сде́лала пе́рвая де́вушка?
6) Что сде́лала втора́я де́вушка?
7) Что сде́лала тре́тья де́вушка?
8) Каку́ю де́вушку вы́брал Алекса́ндр и почему́?
9) А вам кака́я де́вушка нра́вится бо́льше всего́?

3. Напиши́те слова́ в пра́вильной фо́рме.

Пе́рвая де́вушка купи́ла себе́ о́чень дорого́е пла́тье, потому́ что
у неё не́ было _____ (дорого́е пла́тье).

Втора́я де́вушка купи́ла краси́вый костю́м Алекса́ндру, потому́
что у него́ не́ было _____ (дорого́й костю́м).

Тре́тья де́вушка купи́ла большу́ю кварти́ру и дорогу́ю маши́ну,
потому́ что у неё не́ было _____
_____ (больша́я кварти́ра и дорога́я маши́на).

Геро́й ру́сской ска́зки

**Имена́ существи́тельные и имена́ прилага́тельные
в роди́тельном и да́тельном падежа́х**

1. Понима́ете ли вы слова́ *практи́чный, прагмати́чный, эгоисти́чный*?

2. Чита́йте текст.

Бы́ло у отца́ три сы́на. Ста́рший сын — у́м-
ный, **сре́дний** сын — у́мный, мла́дший сын —   сре́дний —
Ива́н-дура́к.   *middle*

71

Так ча́сто начина́ются ру́сские **ска́зки**.
А как конча́ются?

У Ива́на-дурака́ всё хорошо́ (наприме́р, он **бога́тый** и у него́ краси́вая жена́), а у ста́ршего и у сре́днего бра́та всё пло́хо.

Потому́ что «у́мные» ста́ршие бра́тья — практи́чные, прагмати́чные и эгоисти́чные. А «дура́к» Ива́н — до́брый и непракти́чный. Ива́н **помога́ет** ста́рому челове́ку, соба́ке, ко́шке... всем. Поэ́тому все лю́бят Ива́на, помога́ют Ива́ну. А ста́ршие бра́тья никого́ не лю́бят, никому́ не помога́ют. И им никто́ не помога́ет, и их не лю́бит никто́.

Челове́к живёт не оди́н. Он живёт в **ми́ре**. И **выи́грывает** не **си́льный**, а до́брый. Так у́чат ру́сские ска́зки.

ска́зка —
fairy tale

бога́тый — *rich*

помога́ть —
to help

ми́р — *world*
выи́грывать —
to win
си́льный —
strong

3. Правильно или нет?

1) Ива́н-дура́к никого́ не лю́бит, никому́ не помога́ет.
2) Ста́рший и сре́дний брат в ру́сских ска́зках — у́мные и до́брые.
3) Ру́сские ска́зки у́чат: выи́грывает си́льный.

4. А кто выигрывает в нашем мире: сильный, добрый или прагматичный? Почему вы так думаете?

Легко́!
Имена существительные в дательном падеже

1. Читайте текст.

Когда́ я смотре́ла, как моя́ ма́ма рабо́тает на **да́че**, в **саду́** и на **огоро́де**, я ду́мала: «Мое́й ма́ме так интере́сно, так прия́тно и легко́ рабо́тать!

да́ча — *country house with land*
сад — *garden*
огоро́д —
vegetable garden

72

Значит, работать на даче, на огороде и в саду легко, приятно и интересно! Мне тоже **хочется**!»

И я начала помогать маме. Мне было очень легко, приятно, интересно и весело работать в саду и на огороде. Мне очень нравятся **цветы**, **деревья**, овощи и фрукты. Я очень люблю дачу.

Сейчас я уже **взрослая** женщина, у меня своя семья: муж и дети. Мы все работаем на даче, и нам — моему мужу, моему сыну, моей дочери и мне — очень весело, легко, приятно и интересно работать **вместе**. У нас каждый год свои яблоки, помидоры, огурцы, картошка, свёкла и морковь.

Но моя мама не помогает нам. И она очень редко ездит на дачу! Она ездит в отпуск на море или в санаторий под Москвой.

— Почему ты не ездишь на дачу? — спросила я маму. — Ты так любишь работать в саду и на огороде!

— Хочешь знать правду? — ответила мама. — Наташа, я **ненавижу** дачу. Мне никогда не нравилось работать на огороде и в саду. На даче мне всегда было трудно, скучно, грустно и неприятно.

— Но почему ты не говорила мне, что работать на даче так тяжело?!

— Я думала: «Если моя дочь будет думать, что работать на даче приятно, она будет с удовольствием работать на даче, когда будет взрослая, а у меня в **старости** будет нормальная жизнь. И я **была права**!» — ответила мама.

И сейчас я думаю: «Если работать на даче так тяжело...»

хочется —
to feel like

цветы — *flowers*
деревья — *trees*
взрослый —
adult

вместе —
together

ненавидеть —
to hate

старость —
old age
быть правым —
to be right

2. Закончите текст.

3. Ответьте на вопросы.

   1) Почему́ Ната́ше хоте́лось рабо́тать на да́че?

   2) А её ма́ме бы́ло интере́сно и́ли ску́чно, легко́ и́ли тру́дно, прия́тно и́ли неприя́тно рабо́тать на да́че?

3. А у вас есть сад? Вам нравится там работать?

4. Соедините антонимы.

легко́   ску́чно

интере́сно   гру́стно

прия́тно   тру́дно, тяжело́

ве́село   неприя́тно

ТВОРИТЕЛЬНЫЙ ПАДЕЖ

Чем лю́ди едя́т

Имена существительные в предложном и творительном падежах

1. Читайте текст.

Во мно́гих стра́нах лю́ди едя́т **ло́жкой**, **ножо́м** и **ви́лкой**. Но не **везде́**. В Индии, наприме́р, едя́т рука́ми, в Кита́е, в Коре́е и в Япо́нии едя́т **па́лочками**.

Кита́йская и япо́нская ку́хня сейча́с популя́рны во всём ми́ре. Есть па́лочками в япо́нском, кита́йском и коре́йском рестора́не — удо́бно. Челове́к, кото́рый ест су́ши ножо́м и ви́лкой, гру́стно смо́трит на сосе́да, кото́рый ве́село рабо́тает па́лочками...

ло́жка — *spoon*
нож — *knife*
ви́лка — *fork*
везде́ —
everywhere
па́лочка — *stick*

2. Ответьте на вопросы.

1) Чем обы́чно едя́т лю́ди?
2) Чем едя́т в Коре́е, Япо́нии и Кита́е?
3) А в Индии?

3. А вы умеете есть палочками?
В китайском, корейском или японском ресторане вы обычно едите палочками или ножом и вилкой?

Хоти́те ча́ю?

Имена существительные в родительном и творительном падежах

1. Читайте текст.

Чёрный чай ча́сто пьют с са́харом и́ли с ли-
мо́ном.

Зелёный чай обы́чно пьют без са́хара и без ли-
мо́на. Но одна́ моя подру́га пьёт зелёный чай с
са́харом. Говори́т, **вку́сно**!

               вку́сно — *tasty*

А в Яку́тии и в Буря́тии пьют чай с молоко́м,
со́лью, ма́слом и́ли с **жи́ром**. Кладу́т ма́сло и́ли
жир в ча́шку и пьют. **О вку́сах не спо́рят**...

             жир — *fat*

О вку́сах не спо́рят. — *Tastes differ.*

2. Отве́тьте на вопро́сы.

1) С чем обы́чно пьют чёрный чай? А зелёный?
2) С чем пьют чай в Яку́тии и Буря́тии?

3. А с чем вы пьёте чай?

В магази́не

Личные местоимения в творительном и дательном падежах

1. Читайте текст.

Покупа́тель:

—Я проси́л сыр **швейца́рский**, а вы да́ли мне
голла́ндский!

Продаве́ц:

—Почему́ вы ду́маете, что он голла́ндский?
Вы что, разгова́ривали с ним?

покупа́тель —
customer
швейца́рский —
Swiss
голла́ндский —
Dutch
продаве́ц —
shop assistant

2. Ответьте на вопросы.

1) Какóй сыр дал продавéц покупáтелю?
2) А какóй сыр просúл покупáтель?

3. Вы знаете, на каком языке разговаривают в Голландии?
А на каком языке разговаривают друг с другом швейцарцы?

Мечтьı́… мечтьı́…

Имена существительные
в творительном падеже

1. Давайте поиграем! Кто знает больше профессий?

2. Читайте текст.

Меня́ зовýт Дмúтрий. Когдá я был ещё не Дмúтрием, а Дúмой, я мечтáл стать водúтелем таксú, как наш сосéд дя́дя Бóря. Мне бы́ло 5 лет.

Когдá мне бы́ло 7 лет, я мечтáл стать космонáвтом, как Гагáрин.

Когдá мне бы́ло 10 лет, я мечтáл стать футболúстом, как Ронáльдо.

Когдá мне бы́ло 14 лет, я мечтáл стать рок-музыкáнтом, как Джон Лéннон.

Когдá мне бы́ло 16 лет, я мечтáл стать худóжником, как Пикáссо.

Сейчáс мне 20 лет, я мечтáю стать банкúром úли президéнтом компáнии. Глáвное, чтóбы зарплáта былá большáя. Я хочý стать миллионéром.

3. Дополните предложения.

В 5 лет Ди́ма мечта́л стать _____ ,
я мечта́л стать_____ .

В 7 лет Ди́ма мечта́л стать _____ ,
я мечта́л стать_____ .

В 14 лет Ди́ма мечта́л стать _____ ,
я мечта́л стать_____ .

В 16 лет Ди́ма мечта́л стать _____ ,
я мечта́л стать_____ .

В 20 лет Ди́ма мечта́л стать _____ ,
я мечта́л стать_____ .

Сейча́с я мечта́ю стать _____ .

Ещё немно́го о мечта́х

Имена существительные в творительном падеже

1. Понима́ете ли вы слова́ *кло́ун, ко́ка-ко́ла, милиционе́р, серьёзный, пассажи́р?*

2. Читайте текст.

Когда́ мне бы́ло 4 го́да, я хоте́л стать кло́уном.
Потому́ что у кло́унов о́чень краси́вые **боти́нки.**
Огро́мные и **смешны́е.** И кло́уны о́чень весёлые.
И ещё в ци́рке все де́ти едя́т моро́женое и пьют
ко́ка-ко́лу.

Когда́ мне бы́ло 5 лет, я **реши́л** стать милицио-
не́ром. Потому́ что милиционе́ры е́здят на маши́-
нах с ла́мпочками. И у них есть **пистоле́ты.** И ещё
милиционе́ры о́чень серьёзные и **сме́лые.**

Когда́ мне бы́ло 6 лет, я мечта́л стать **лётчиком.**
Потому́ что лётчики ка́ждый день лета́ют на самолёте в ра́зные стра́ны. Беспла́тно.

боти́нки — *boots*
огро́мный —
 huge
смешно́й —
 funny
реши́ть —
 to decide
пистоле́т — *gun*
сме́лый — *brave*

лётчик — *pilot*

Сейча́с мне 40 лет. Я — бизнесме́н. У меня́ есть краси́вые боти́нки. Но они́ не огро́мные и не смешны́е. У меня́ есть маши́на. Очень дорога́я. Но она́ без ла́мпочек. Я ча́сто лета́ю на самолёте в ра́зные стра́ны. Но то́лько как пассажи́р. Моя́ жизнь — ску́чная и неинтере́сная. Иногда́ я ду́маю: а мо́жет быть, ещё не по́здно её **измени́ть**? И... стать кло́уном?

измени́ть — *to change*

3. Продолжите ряд.

Стать кло́уном, милиционе́ром, лётчиком, ...
Есть моро́женое, суп, пи́ццу, ...
Пить ко́ка-ко́лу, чай, ко́фе, ...
Е́здить на маши́не, на велосипе́де, на трамва́е, ...
Жизнь ску́чная, весёлая, интере́сная, ...

4. Посмотрите в словаре слова *прави́тельство, лечи́ть*.
Дополните предложения, используйте слова для справок в нужной форме.

1) Я хочу́ рабо́тать в шко́ле, я хочу́ стать _____
_____ .

2) Ты хо́чешь рабо́тать в теа́тре, ты хо́чешь стать _____
_____ .

3) Он хо́чет рабо́тать в прави́тельстве, он хо́чет стать _____
_____ .

4) Она́ хо́чет рабо́тать в университе́те, она́ хо́чет стать _____
_____ .

5) Мы хоти́м рабо́тать в би́знесе, мы хоти́м стать _____
_____ .

6) Вы хоти́те писа́ть кни́ги, вы хоти́те стать _____
_____ .

7) Вы с дру́гом хоти́те лечи́ть люде́й, вы хоти́те стать _____ _____ .

8) Они́ хотя́т рисова́ть карти́ны, они́ хотя́т стать _____ _____ .

С л о в а д л я с п р а в о к: арти́ст, бизнесме́н, президе́нт, худо́жник, врач, преподава́тель, учи́тель, писа́тель.

Москва́ и Петербу́рг

Имена существительные
и имена прилагательные
в творительном
и родительном падеже

1. Понимаете ли вы слова *полити́ческий, культу́рный, экономи́ческий, центр, си́мвол, романти́ческий*?

2. Читайте текст.

В восемна́дцатом и девятна́дцатом ве́ке Петербу́рг был столи́цей Росси́и. Но россия́не хорошо́ по́мнили, что ста́рая столи́ца, полити́ческий и культу́рный центр — Москва́. Москву́ люби́ли. Говори́ли, что Петербу́рг — «**голова́**», Москва́ — «**се́рдце**» Росси́и.

голова́ — *head*
се́рдце — *heart*

В 1918 году́ Москва́ сно́ва ста́ла столи́цей. Сейча́с Москва́ — огро́мный го́род, полити́ческий, экономи́ческий и культу́рный центр.

А Петербу́рг стал си́мволом ру́сской культу́ры восемна́дцатого—девятна́дцатого веко́в. Россия́не лю́бят Петербу́рг. Петербу́рг — го́род-музе́й, го́род прекра́сный и романти́ческий, «**Се́верная** Вене́ция».

се́верный — *northern*

3. Пра́вда или нет?

1) В девятна́дцатом ве́ке столи́цей Росси́и была́ Москва́.
2) Москва́ сно́ва ста́ла столи́цей Росси́и в 1918 году́.
3) Ра́ньше говори́ли, что Петербу́рг — «се́рдце», Москва́ — «голова́» России.
4) Москва́ — «Се́верная Вене́ция».

Он до́лжен занима́ться спо́ртом!

Имена существительные в творительном падеже

1. Понима́ете ли вы слова́ *фана́ты, хулига́ны, раке́тка*?

2. Читайте диало́г.

Муж говори́т жене́:

— Наш сын до́лжен занима́ться спо́ртом.

— Спо́ртом? Ты **с ума́ сошёл**! Он ещё ма́ленький!

— Он не ма́ленький! Он **взро́слый** мужчи́на. Ему́ уже́ 5 лет! Он бу́дет игра́ть в хокке́й!

— В хокке́й? Како́й **у́жас**! Хокке́й — э́то **лёд**! Это **опа́сно**.

— Хорошо́, он бу́дет игра́ть в футбо́л! Он бу́дет футболи́стом!

— Футбо́л — э́то **кошма́р**! Футбо́л — э́то фана́ты, хулига́ны и пи́во! Это **ужа́сно**.

— Ну **ла́дно**, он бу́дет пла́вать. Занима́ться пла́ванием — **поле́зно**.

— Пла́вать? Никогда́! В бассе́йне — вода́. Мно́го воды́. Это стра́шно.

взро́слый — *adult*
у́жас — *horror*
лёд — *ice*
опа́сно — *dangerous*

кошма́р — *nightmare*
ужа́сно — *horrible*
ла́дно — *OK*
поле́зно — *use ful*

— Мо́жет быть, он бу́дет занима́ться те́нни-
сом?

— **Ни за что́**! Это **вре́дно**. Раке́тка о́чень тяжёлая.

— А **лы́жи**?

— Нет. Лы́жи — э́то снег. Он о́чень холо́дный.
Это пло́хо.

— Ну, я не зна́ю... Мо́жет быть, он и пра́вда
ещё ма́ленький?

вре́дно —
harmful

лы́жи — *skis*

с ума́ сойти́ — *to go mad*
Ни за что́! — *No way!*

3. Продолжите ряд.

Занима́ться спо́ртом, му́зыкой, та́нцами, ...
Игра́ть в хокке́й, в футбо́л, в те́ннис, ...

4. А вы занимаетесь спортом? Каким? Какие виды спорта вам нравятся?
Какие — нет?

5. Скажите, что вредно и что полезно для здоровья?

Пи́сьма из Интерне́та

Имена существительные в творительном, родительном, винительном падеже

1. Понимаете ли вы слова *компа́ния, газ, карье́ра, диплома́т, футболи́ст, спорти́вный клуб, аге́нтство*?

2. Читайте тексты.

Би́знес и́ли иску́сство?

Мой па́па — президе́нт нефтяно́й компа́нии.
Он мечта́ет о том, что я бу́ду помога́ть ему́, пото-
му́ что я его́ **еди́нственная** дочь. Снача́ла получу́

еди́нственный —
the only

82

образова́ние, пото́м бу́ду рабо́тать вме́сте с ним, а пото́м ста́ну президе́нтом на́шей компа́нии.

Но я хочу́ стать арти́сткой. **Я мечта́ю** поступи́ть в театра́льный институ́т. Пото́м хочу́ стать изве́стной арти́сткой, как Джу́лия Ро́бертс. **Я совсе́м** не хочу́ занима́ться би́знесом. Нефть, газ... Это так **ску́чно**! Что мне де́лать?

Любо́вь и́ли карье́ра?

У меня́ о́чень серьёзная пробле́ма. У меня́ есть друг Анто́н. Мы вме́сте ходи́ли в **де́тский сад**, пото́м вме́сте учи́лись в шко́ле. Мы до́лго жда́ли, когда́ нам бу́дет 18 лет и мы смо́жем **пожени́ться**. И вот вчера́ у меня́ был **день рожде́ния**, а у Анто́на **не́сколько** ме́сяцев наза́д был день рожде́ния. Тепе́рь мы мо́жем стать му́жем и жено́й. Но на́ши роди́тели! Они́ говоря́т, что снача́ла на́до получи́ть профе́ссию, пото́м жени́ться. Мои́ роди́тели всегда́ мечта́ли, что я бу́ду врачо́м. А роди́тели Анто́на мечта́ли, что он ста́нет **юри́стом**. Они́ не понима́ют, что мы лю́бим друг дру́га и хоти́м всегда́ быть вме́сте. Любо́вь важне́е университе́та! Мы не понима́ем их, они́ не понима́ют нас...

Я не хочу́ быть диплома́том!

Я всегда́ хоте́л быть футболи́стом. Я хорошо́ игра́ю в футбо́л, хожу́ на **трениро́вки** в спорти́вный клуб. Мне уже́ 17 лет, и я хочу́ серьёзно занима́ться футбо́лом.

Но мой па́па — **посо́л**, а ма́ма — второ́й секрета́рь в посо́льстве. Они́ мечта́ли, что я то́же ста́ну

образова́ние — *education*

мечта́ть — *to dream*

совсе́м — *at all*

ску́чно — *boring*

де́тский сад — *kindergarten*

пожени́ться — *to get married*

не́сколько — *several*

юри́ст — *lawyer*

трениро́вка — *physical training*

посо́л — *ambassador*

дипломáтом. Они́ говоря́т, что мне нáдо поступáть в университéт, на **факультéт междунарóдных отношéний**. Я не знáю, что мне дéлать! **Посовéтуйте**, пожáлуйста!

посовéтовать — *to give advice*

Мой муж — миллионéр

Мой муж — óчень **богáтый** человéк. Вы, **навéрное**, дýмаете, что я óчень рáда? Нет, э́то совсéм не так.

богáтый — *rich*
навéрное — *probably*

Рáньше я рабóтала секретарём, потóм вы́шла зáмуж за президéнта нáшей компáнии. Тогдá я дýмала, что я сáмая **счастли́вая** дéвушка в ми́ре!

счастли́вый — *happy*

Сейчáс я не рабóтаю. У мои́х детéй есть **ня́ня**. **Готóвит** и **убирáет** дéвушка из агéнтства. Весь день я смотрю́ телеви́зор. Вы мóжете сказáть, что я могý поéхать кудá-нибудь и́ли пойти́ в теáтр. С кем? Мои́ подрýги всегдá зáняты. Они́ рабóтают, у них интерéсная жизнь. У них нет свобóдного врéмени. Мой муж тóже всегдá зáнят. Я не знáю, как **измени́ть** свою́ жизнь.

ня́ня — *nanny*
готóвить — *to cook*
убирáть — *to clean*

измени́ть — *to change*

дéтский сад — *kindergarten*
день рождéния — *birthday*
факультéт междунарóдных отношéний — *faculty of foreign relations*

3. Отвéтьте на вопрóсы.

1) О каки́х проблéмах пи́шут э́ти лю́ди?
2) Что вы мóжете посовéтовать им?
3) Как вы дýмаете, какáя проблéма сáмая серьёзная? Почемý?

4. Напиши́те отвéт на письмó, котóрое вас заинтересовáло. О каки́х вáших проблéмах вы хоти́те написáть?

5. Закончите фразы, используя информацию из текстов.

1) Я хочу́ стать изве́стной _____ .

2) Я совсе́м не хочу́ занима́ться _____ .

3) Тепе́рь мы мо́жем стать _____ .

4) Мои́ роди́тели мечта́ли, что я бу́ду _____ , а роди́тели Анто́на мечта́ли, что он ста́нет _____ .

5) Я всегда́ хоте́л быть _____ .

6) Я хочу́ серьёзно занима́ться _____ , но мои́ роди́тели мечта́ли, что я ста́ну _____ .

7) Ра́ньше я рабо́тала _____ .

ВЫ ЗНАЕТЕ ВСЕ ПАДЕЖИ

Русская красавица
Существительные единственного числа в разных падежах

1. Понимаете ли вы слова *планета, сенсация*?
2. Читайте текст.

Все знают, что русские девушки очень красивые. В 2002 году был известный **конкурс «Мисс Вселенная»**. Девушка из России стала первой красавицей планеты. И газеты, и журналы во всём мире писали о ней. Её зовут Оксана Фёдорова. Она жила в Санкт-Петербурге. Сначала она училась в школе милиции, а потом — в университете на юридическом факультете.

Как Мисс Вселенная Оксана очень много **путешествовала**. Особенно ей понравилась Кения. Но потом... Она сказала: «Я не хочу быть "Мисс Вселенная". Я должна вернуться в Рос-

конкурс —
competition
«Мисс
Вселенная» —
«Miss Universe»

путешествовать
— *to travel*

сию. Я должна́ **защити́ть диссерта́цию**». Это была́ сенса́ция! Тако́й де́вушки в исто́рии изве́стного ко́нкурса ещё никогда́ не́ было! Все газе́ты и журна́лы ми́ра опя́ть писа́ли о ней.

Окса́на, **действи́тельно**, верну́лась в Росси́ю и начала́ преподава́ть в университе́те в Санкт-Петербу́рге. Пото́м она́ ста́ла рабо́тать на телеви́дении в програ́мме для дете́й «**Споко́йной но́чи, малыши́!**». Она́ телеведу́щая.

действи́тельно — really

Неда́вно она́ вы́шла за́муж. Её муж — не́мец. Окса́на опя́ть мно́го путеше́ствует. Она́ ча́сто е́здит из Росси́и в Герма́нию к му́жу и из Герма́нии в Росси́ю на рабо́ту.

защити́ть диссерта́цию — *to defend thesis*
споко́йной но́чи, малыши́ — *good night, kids*

3. Скажи́те, пра́вильно или нет.

1) Все зна́ют, что ру́сские де́вушки о́чень краси́вые.
2) В 2003 году́ пе́рвой краса́вицей плане́ты ста́ла де́вушка из Росси́и.
3) Её зову́т Мари́я Шара́пова.
4) Она́ жила́ в Москве́.
5) Она́ учи́лась в шко́ле мили́ции и в университе́те в Санкт-Петербу́рге.
6) Окса́на Фёдорова о́чень ма́ло путеше́ствовала по ми́ру.
7) Она́ сказа́ла одна́жды: «Я не хочу́ быть "Мисс Вселе́нная", потому́ что я должна́ защити́ть диссерта́цию в университе́те».
8) Сейча́с Окса́на Фёдорова — изве́стная топ-моде́ль.
9) Её муж — не́мец, и она́ всегда́ живёт в Герма́нии.
10) Она́ рабо́тает на телеви́дении в програ́мме «Пусть говоря́т».

Что делать — русские редко улыбаются!

Существительные единственного числа в разных падежах и множественного числа в предложном падеже

1. Читайте текст.

Когда первый раз я приехал в Россию из Америки, я очень **удивился**: русские совсем не любят **улыбаться**! Все иностранцы удивляются: русские **редко** улыбаются на улицах, в магазинах, в ресторанах, в метро. Я решил, что **причина** — это то, что все **торопятся** и климат плохой, очень холодно. Даже **здороваться** друг с другом **некогда** и холодно.

Потом однажды зимой я пошёл в театр на комедию Шекспира: это можно было понять и по-русски. Публика была русская, я один иностранец. Спектакль был очень смешной, поэтому все начали сначала улыбаться, а потом **смеяться**! Как они смеялись! Я **страшно** удивился: значит, проблема не в климате.

После спектакля **неожиданно** познакомился с русским студентом: он мне улыбался, а потом спросил, откуда я приехал. Я спросил его, почему он улыбнулся мне? Он сказал: «Такое хорошее **настроение**! Такой прекрасный спектакль!» И наконец всё объяснил.

Я понял, что русские не любят **формально** улыбаться, просто потому, что так надо. Русским не нравятся формальные **отношения**, не нравятся формальные улыбки. Русские улыбаются, когда они знают человека, когда они **искренне** любят

удивиться —
to be surprised
улыбаться —
to smile
редко — *seldom*
причина —
reason
торопиться —
to hurry
здороваться —
to greet
некогда —
no time

смеяться —
to laugh
страшно —
awfully
неожиданно —
unexpectedly

настроение —
mood
формально —
officially
отношения —
relationship
искренне —
sincerely

его. Ру́сские улыба́ются, когда́ у них хоро́шее на-
строе́ние. Улы́бка — **знак дове́рия**, ра́дости, друж-
бы, любви́.

знак — *sign*
дове́рие — *trust*

2. Закончите предложения.

1) Когда́ я прие́хал пе́рвый раз в Росси́ю, я реши́л, что ру́с-
ские...

2) Я ду́мал, что ру́сские лю́ди почти́ не улыба́ются, потому́
что...

3) В теа́тре я стра́шно удиви́лся, когда́ уви́дел, что пу́блика...

4) Ру́сский студе́нт сказа́л, что он улыба́ется, потому́ что...

5) Я по́нял, почему́ ру́сские ре́дко улыба́ются — потому́ что...

Кто таки́е «но́вые ру́сские»?

Существительные единственного
числа в разных падежах
и множественного числа
в предложном падеже

1. Как вы думаете, чем отличается *маши́на* от *маши́нки*?

2. Читайте текст.

Е́сли говори́ть **ко́ротко**, «но́вый ру́сский» —
э́то челове́к, кото́рый:

а) мо́жет купи́ть футбо́льный клуб (а та́кже
заво́д, **теплохо́д, нефтяну́ю** компа́нию **и т. д.**);

б) живёт в **огро́мном со́бственном** до́ме (е́с-
ли в Москве́ — обы́чно на Рублёво-Успе́нском
шоссе́);

ко́ротко —
shortly
теплохо́д —
motor boat
нефтяно́й — *oil*
и т. д. — *etc*
огро́мный —
huge
со́бственный —
own

в) отдыха́ет на са́мых дороги́х **куро́ртах** ми́ра (ча́сто в Куршеве́ле);

куро́рт — *resort*

г) е́здит с **охра́ной** на дорого́м автомоби́ле (обы́чно на чёрном «мерседе́се»);

охра́на — *security*

д) всё вре́мя говори́т по моби́льному телефо́ну;

е) име́ет краси́вую жену́-блонди́нку (обы́чно моде́ль).

ж) ча́сто быва́ет с ней (а иногда́ и с други́ми де́вушками) в дороги́х рестора́нах, ночны́х клу́бах и казино́.

В после́дние го́ды о́чень популя́рны **анекдо́ты** о «но́вых ру́сских». Вот оди́н из них.

анекдо́т — *joke*

Па́па прихо́дит домо́й. Его́ ма́ленький сын (ему́ лет 5) спра́шивает:

— Па́па, а где маши́нка? Ты обеща́л купи́ть мне маши́нку!

— Я купи́л! На у́лице стои́т!

3. Отве́тьте на вопросы.

1) Что мо́жет купи́ть «но́вый ру́сский»?
2) Где он живёт?
3) Где он обы́чно отдыха́ет?
4) На чём он е́здит?
5) Что он всё вре́мя де́лает?
6) Кака́я у него́ жена́?
7) Где он ча́сто быва́ет?
8) С кем он там быва́ет?

4. Кто такие «новые русские»?

5. Расскажите анекдот о «новом русском».

Волга

Существительные единственного
и множественного числа
в разных падежах

1. Понимаете ли вы слова *легéнда, комéдия, автомобúль, монастúрь?*

2. Читайте текст.

Вóлга — сáмая длúнная рекá в Еврóпе и сáмая любúмая в Росси́и. **В нарóдных пéснях** Вóлгу называ́ют «мáтерью». Есть мнóго легéнд и пéсен об э́той рекé. Однá из любúмых комéдий россия́н — стáрый фильм, котóрый называ́ется «Вóлга-Вóлга». Есть дáже автомобúль «Вóлга».

нарóдные
пéсни —
folk songs

В Третьякóвской галерéе, в Рýсском музéе и в других картúнных галерéях мóжно уви́деть Вóлгу на картúнах. Но лýчше, конéчно, уви́деть э́ту **знамени́тую** рéку **свои́ми глазáми**.

знамени́тый —
famous

Вы уви́дите Вóлгу, éсли поéдете в Тверь, в Яросла́вль úли в Кострóму́. Э́то краси́вые стари́нные рýсские городá. На Вóлге нахóдится и знамени́тый гóрод Волгогрáд (рáньше он называ́лся Сталингрáд).

поплы́ть —
to sail

Мóжно **поплы́ть** по Вóлге на **теплохóде**. Вы уви́дите, кака́я э́то **широ́кая**, краси́вая и спокóйная рекá. А по её **берега́м** — лесá, поля́, стари́нные **цéркви** и монастыри́, стáрые и нóвые городá.

теплохóд —
motor boat
широ́кий — *wide*
бéрег — *bank*
цéрковь —
church

___
свои́ми глазáми — *own eyes*

91

3. Закончите предложения.

1) Волга — самая длинная река...
2) Есть даже автомобиль...
3) Чтобы увидеть Волгу, можно поехать...
4) На Волге находиится знаменитый город...

4. Расскажите о Волге.

5. Расскажите о самой главной реке в вашей стране.

Бе́лые но́чи в Петербу́рге

Существительные единственного и множественного числа в разных падежах

1. Понимаете ли вы слова *кана́л, пери́од, романти́чный*?

2. Как вы думаете, что значит *влюблённый*?

3. На какие вопросы отвечают слова *люби́ть, любо́вь, влюблённый, люби́мый*?

4. Читайте текст.

Санкт-Петербу́рг — го́род рек и кана́лов. Если вы хоти́те посмотре́ть э́тот го́род, приезжа́й-
те сюда́ во второ́й полови́не ию́ня. В э́тот пери́-
од но́чью в Петербу́рге **светло́**, почти́ как днём.
Мо́жно гуля́ть по го́роду но́чью.

светло́ — *light*

Но лу́чше всего́ поплы́ть на **теплохо́де** по ре́-
кам и кана́лам го́рода. Вы уви́дите, как но́чью
разво́дят мосты́. Это ну́жно, что́бы теплохо́ды
могли́ проплы́ть по реке́. Днём им **меша́ют** мос-
ты́. А без мосто́в невозмо́жна жизнь го́рода. Поэ́-
тому то́лько но́чью, когда́ го́род спит, мо́жно раз-
вести́ мосты́ и дать доро́гу теплохо́дам.

теплохо́д —
motor boat

разводи́ть
мосты́ —
*to separate
bridges*

меша́ть —
to impede

Разведе́ние мосто́в ста́ло романти́чным си́мволом го́рода. Ты́сячи тури́стов фотографи́руют мосты́ в ра́зных ра́курсах, влюблённые **признаю́тся друг дру́гу в любви́**...

Теплохо́ды с тури́стами ме́дленно под му́зыку плыву́т под моста́ми... А те, кто не успе́л до 12 часо́в дое́хать до до́ма, ду́мают, где провести́ ночь. Прое́хать по моста́м мо́жно бу́дет то́лько у́тром. Не забу́дьте об э́том! Ведь Петербу́рг — го́род рек и кана́лов...

признава́ться друг дру́гу в любви́ — *to confess love to each other*

5. Отве́тьте на вопро́сы.

1) В како́м ме́сяце лу́чше всего́ приезжа́ть в Петербу́рг? Почему́?

2) Почему́ разво́дят мосты́ в Петербу́рге?

3) О чём на́до по́мнить тури́сту?

6. Вы бы́ли в Петербурге? Видели, как разводят мосты?

Го́род Влади́мир

Существи́тельные еди́нственного
и мно́жественного числа́
в ра́зных падежа́х

1. Зна́ете ли вы, что зна́чит *Золото́е кольцо́*?

2. Понима́ете ли вы слова́ *фрагме́нт, фре́ска, уника́льный, архитекту́рный*?

3. Читайте текст.

Влади́мир — оди́н из городо́в **знамени́того** Зо-
лото́го кольца́. В двена́дцатом ве́ке Влади́мир
был столи́цей. Здесь была́ больша́я краси́вая ре-
ка́ — Кля́зьма. В го́роде постро́или **торже́ственные**
Золоты́е **воро́та**, что́бы ка́ждый, кто въезжа́л во
Влади́мир, **сра́зу** понима́л: э́то гла́вный го́род,
столи́ца. Здесь постро́или прекра́сные **собо́ры** —
Успе́нский и Дми́триевский. Го́род был бога́тый
и краси́вый. Сам Андре́й Рублёв, знамени́тый
иконопи́сец, писа́л фре́ски в Успе́нском собо́ре.

В то вре́мя Москва́ была́ ма́леньким го́родом.
Но прошло́ всего́ 200 лет, и всё **измени́лось**. Сто-
ли́цей ста́ла Москва́, а Влади́мир... Сейча́с э́то
про́сто небольшо́й, но о́чень интере́сный стари́н-
ный го́род.

Тури́сты, кото́рые приезжа́ют сюда́, ви́дят сна-
ча́ла Золоты́е воро́та, пото́м осма́тривают Успе́н-
ский собо́р с небольши́м фрагме́нтом фре́ски
Рублёва, пото́м Дми́триевский собо́р. Все фото-
графи́руются на **холме́**, с кото́рого **открыва́ется**
прекра́сный вид на небольшу́ю ре́ку Кля́зьму (вре́-
мя и её сде́лало ма́ленькой).

Здесь хоро́шая карти́нная галере́я и интере́сные
музе́и. А совсе́м ря́дом нахо́дится уника́льный ар-
хитекту́рный па́мятник, храм Покрова́ на Нерли́,
и друго́й го́род Золото́го кольца́ — Су́здаль.

знамени́тый —
famous

торже́ственный
— *solemn*
воро́та — *gates*
сра́зу — *at once*
собо́р —
cathedral

иконопи́сец —
icon painter

измени́ться —
to change

холм — *hill*

_____
открыва́ется прекра́сный вид — *a spectacular view can be seen*

4. Что вы узнали о Владимире?

5. В каком городе Золотого кольца вы были? Расскажите об этом городе.

Пять мобильных телефонов

Порядковые имена числительные, имена существительные в разных падежах

1. Читайте текст.

Моя подруга очень любит покупать мобильные телефоны. Сначала она купила **обычный** мобильный телефон. Потом она решила, что ей нужен телефон с видеокамерой. Она купила второй, с видеокамерой. Потом она увидела розовую модель телефона «Моторола» и решила, что этот телефон **подойдёт** к её розовой сумке. Она купила третий телефон. Потом она увидела телефон своей подруги и поняла, что ей тоже такой нужен: этот телефон был очень маленький и удобный. Она купила четвёртый телефон. Но у этого телефона были не очень хорошие мелодии. Она купила пятый мобильный телефон. Сейчас она хочет купить шестой. Это новая модель с двумя сим-картами.

обычный — *ordinary*

подходить — *to suit*

2. Ответьте на вопросы.

1) Почему подруга купила пять мобильных телефонов?
2) Почему она хочет купить шестой?

3. А как вы выбирали мобильный телефон?

Кни́га — лу́чший пода́рок

Существительные единственного
и множественного числа
в разных падежах

1. Читайте текст.

«Кни́га — **лу́чший** пода́рок!» Так всегда́ говори́л мой па́па в мой день рожде́ния. И дари́л мне, коне́чно, кни́гу.

Когда́ я учи́лся в пе́рвом кла́ссе, он подари́л мне на день рожде́ния ру́сско-неме́цкий слова́рь. Он был большо́й, **тяжёлый** и... непоня́тный. Во второ́м кла́ссе па́па подари́л мне а́нгло-ру́сский слова́рь. Пото́м стихи́ **неизве́стных** поэ́тов. Оди́н раз — шокола́дку. Очень **вку́сную**. Не зна́ю почему́, но шокола́дка мне понра́вилась **бо́льше всего́**.

Когда́ я стал студе́нтом, па́па подари́л мне на день рожде́ния энциклопе́дию. **К сожале́нию**, я её не прочита́л. Во-пе́рвых, она́ была́ **сли́шком то́лстая**. И, во-вторы́х, энциклопе́дия была́ по фи́зике. А я учи́лся на истори́ческом факульте́те. Тогда́ я поду́мал, что свои́м де́тям бу́ду дари́ть то́лько шокола́д и **игру́шки**.

Пото́м я сам стал па́пой. Когда́ у моего́ сы́на был пе́рвый день рожде́ния, я не знал, что ему́ подари́ть. Сын был о́чень ма́ленький, шокола́д не ел, и в игру́шки не игра́л. Я до́лго ду́мал... и

лу́чший — *best*

тяжёлый —
heavy
неизве́стный —
unknown
вку́сный — *tasty*
бо́льше всего́ —
most of all
к сожале́нию —
unfortunately
сли́шком — *too*
то́лстый — *thick*

игру́шка — *toy*

купи́л ему́ энциклопе́дию. Де́тскую энциклопе́-
дию с карти́нками! О́чень большу́ю и о́чень кра-
си́вую. Потому́ что кни́га — лу́чший пода́рок.
Это я **то́чно** зна́ю!   то́чно — *for sure*

2. Напишите антонимы.

большо́й — _____

тяжёлый — _____

непоня́тный — _____

неизве́стный — _____

вку́сный — _____

то́лстый — _____

пе́рвый — _____

краси́вый — _____

3. Какое слово лишнее?

Слова́рь — большо́й, злой, плохо́й, тяжёлый, непоня́тный.

Энциклопе́дия — то́лстая, ста́рая, горя́чая, хоро́шая, жёлтая.

Поэ́ты — неизве́стные, изве́стные, но́вые, молоды́е, холо́дные.

День рожде́ния — весёлый, ску́чный, интере́сный, ни́зкий, пе́рвый.

Шокола́дка — вку́сная, сла́дкая, шокола́дная, ма́ленькая, больша́я.

Сын — ма́ленький, взро́слый, де́тский, у́мный, пе́рвый.

Пода́рок — пода́рочный, дорого́й, краси́вый, ужа́сный, люби́мый.

4. Посмотрите в словаре значение слов: *кало́рии, ремо́нт, йо́га, худе́ть/
похуде́ть*.
Закончите предложения, используйте слова для справок в нужной форме.

1) Если ва́ша ма́ма ду́мает о кало́риях, подари́те ей ... .
2) Если ваш па́па лю́бит де́лать ремо́нт, подари́те ему́ ... .

3) Если ваш брат увлека́ется те́хникой, подари́те ему́ ... .

4) Если ва́ша ба́бушка занима́ется йо́гой, подари́те ей ... .

5) Если ваш де́душка слу́шает му́зыку «ди́ско», подари́те ему́ ... .

6) Если ваш друг — студе́нт-фи́зик, подари́те ему́ ... .

7) Если ва́ша подру́га интересу́ется мо́дой, подари́те ей ... .

С л о в а д л я с п р а в о к: кни́га «Исто́рия костю́ма», диск гру́ппы «А́ББА», кни́га «Еди́м и худе́ем!», кни́га «Как дожи́ть до 100 лет», журна́л «Популя́рная меха́ника», кни́га «Вели́кие фи́зики», кни́га «Дома́шний ма́стер».

5. Вам дарят книги? Какую книгу вы хотели бы получить в подарок? А вы дарили кому-то книги? Какие?

Матрёшка

Существительные единственного
и множественного числа
в разных падежах

1. Понимаете ли вы слова *сувени́р, мона́х, скульпту́ра, популя́рный, царь*?

2. Читайте текст.

Матрёшка — э́то изве́стный ру́сский сувени́р. Но родила́сь матрёшка в Япо́нии, на о́строве Хонсю́. Япо́нцы говоря́т, что оди́н ру́сский мона́х сде́лал **игру́шку**. В ней бы́ло ещё **не́сколько** игру́шек.

Пото́м недалеко́ от Москвы́ ру́сские худо́жники сде́лали пе́рвую ру́сскую матрёшку.

игру́шка — *toy*
не́сколько —
several

Почему́ матрёшка так называ́ется?

Потому́ что ра́ньше и́мя «Матрёна», «Матрёшка» бы́ло популя́рным же́нским и́менем в Росси́и. «Mater» на лати́нском языке́ зна́чило «мать». Матрёшка — э́то мать. У неё мно́го «дете́й». У пе́рвой ру́сской матрёшки бы́ло семь «дете́й». Матрёшка — э́то си́мвол ма́тери и большо́й семьи́.

Матрёшка понра́вилась лю́дям. Она́ ста́ла популя́рным ру́сским сувени́ром. Сейча́с мо́жно уви́деть ра́зных матрёшек. Есть матрёшка — мужчи́на, матрёшка — ру́сский царь, матрёшка — Горбачёв, матрёшка — Пу́тин. Мо́жно купи́ть музыка́льную матрёшку. Она́ поёт ру́сские наро́дные пе́сни.

Матрёшка — э́то и **жи́вопись**, и скульпту́ра. Это **о́браз** и **душа́** Росси́и.

жи́вопись — *painting*
о́браз — *image*
душа́ — *soul*

3. Отве́тьте на вопро́сы.

1) Где родила́сь матрёшка?

2) Кто её сде́лал?

3) Ско́лько «дете́й» бы́ло у пе́рвой ру́сской матрёшки?

4) Почему́ матрёшка так называ́ется?

5) Как вы ду́маете, почему́ матрёшка понра́вилась лю́дям?

6) Каки́е матрёшки мо́жно уви́деть и купи́ть сейча́с?

7) Какие песни поёт музыкальная матрёшка?

6. А вам нра́вится э́тот изве́стный ру́сский сувени́р — матрёшка? Вы уже́ купи́ли её?

Музе́й археоло́гии Москвы́

Существительные единственного
и множественного числа
в разных падежах

1. Понимаете ли вы слова *археологи́я, москви́ч, маке́т*?

2. Читайте текст.

В це́нтре Москвы́ есть ма́ленький, но о́чень интере́сный музе́й археоло́гии Москвы́. Он **нахо́дится** на Мане́жной пло́щади. Здесь мо́жно уви́деть **ча́сти** ста́рого моста́ че́рез ре́ку Негли́нку, кото́рая ра́ньше была́ о́коло Кремля́. Сейча́с э́та небольша́я река́ нахо́дится **под землёй**.

В музе́е мо́жно пройти́ по **дре́вней деревя́нной** у́лице Москвы́, уви́деть дома́, **в кото́рых** жи́ли москвичи́ мно́го лет наза́д.

В музе́е есть маке́ты ста́рой Москвы́. Вы уви́дите, как **изменя́лся** го́род.

А ещё здесь есть **стари́нные кла́ды**, кото́рые **нашли́** во вре́мя археологи́ческих **раско́пок** на Мане́жной пло́щади.

часть — *part*
находи́ться —
to be situated
под землёй —
under ground
дре́вний —
ancient
деревя́нный —
wooden
в кото́рых —
in which
изменя́ться —
to change
стари́нный —
ancient
клад — *treasure*
найти́ — *to find*
раско́пки —
excavations

3. Отве́тьте на вопро́сы.

1) Где нахо́дится Музе́й археоло́гии Москвы́?
2) Почему́ в музе́е нахо́дится мост?
3) Что ещё мо́жно уви́деть в э́том музе́е?

4. Вы были в музее археологии на Манежной площади? Есть ли такой музей в вашем родном городе?

100

ВИДЫ ГЛАГОЛОВ

Забы́л

Виды глаголов

1. Читайте текст.

Я чита́л рома́н «Война́ и мир» пять лет. Когда́ я его́ прочита́л, на́чал чита́ть снача́ла. Потому́ что забы́л, что бы́ло в нача́ле. По́мню то́лько: бы́ло интере́сно...

2. А вы читали роман «Война и мир»? Вы прочитали его?

Наш па́па гото́вил у́жин

Виды глаголов *варить/сварить*

1. Проспрягайте глаголы *переводи́ть/перевести́*.

2. Понимаете ли вы слово *инстру́кция*?

3. Читайте диалог.

— Вчера́ ве́чером наш па́па гото́вил у́жин. Он гото́вил у́жин четы́ре часа́.

— И что он пригото́вил?

— Макаро́ны, огурцы́ и помидо́ры.

— А почему́ так **до́лго**?

до́лго — *for a long time*

— Потому́ что снача́ла он чита́л инстру́кцию. Макаро́ны бы́ли италья́нские, и инстру́кция была́ на италья́нском языке́. Па́па пошёл в магази́н, купи́л слова́рь. Пото́м он два часа́ **переводи́л** инстру́кцию.

переводи́ть — *to translate*

— Перевёл?

— Нет, не перевёл. Он позвони́л ба́бушке, и она́ сказа́ла ему́, как **вари́ть** макаро́ны.

вари́ть — *to boil*

4. Отве́тьте на вопро́сы.

1) Ско́лько вре́мени па́па гото́вил у́жин?
2) Что он пригото́вил?
3) Почему́ он гото́вил у́жин так до́лго?

5. Напиши́те пра́вильную фо́рму глаго́ла.

1) *гото́вить/пригото́вить*

Па́па ре́дко _____ у́жин.

Ма́ма бы́стро _____ у́жин, и мы се́ли у́жинать.

2) *переводи́ть/перевести́*

Я ка́ждый день _____ те́ксты.

— Что ты де́лаешь? _____ текст?

— Нет, я уже́ _____ текст.

3) *чита́ть/прочита́ть*

Па́па _____ инстру́кцию со словарём.

Па́па не смог _____ инстру́кцию и позвони́л ба́бушке.

Глу́пый чёрт

Виды глаголов, имена
существительные и местоимения
в дательном, винительном
и родительном падежах

1. Читайте текст.

Одна́жды молода́я же́нщина помогла́ **чёрту**. Чёрт был о́чень **дово́лен** и на́чал **благодари́ть** её. Он говори́л: «Ты о́чень **до́брая**. Я никогда́ не забу́ду твою́ доброту́. Я сде́лаю для тебя́ всё, что ты хо́чешь!»

Же́нщина до́лго ду́мала и не могла́ приду́мать, что она́ хо́чет. Тогда́ чёрт реши́л помо́чь ей. Он знал, что са́мое **гла́вное** для же́нщины — **красота́**. И он спроси́л же́нщину:

— Хо́чешь, я дам тебе́ красоту́? Ты бу́дешь така́я краси́вая!

— Что?! Ты хо́чешь сказа́ть, что я некраси́вая?! Ах, ты **наха́л!** — **закрича́ла** же́нщина и **дала́** чёрту **пощёчину**.

чёрт — *devil*
дово́льный —
  glad
благодари́ть —
  to thank
до́брый — *kind*

гла́вное —
  *the most
  important thing*
красота́ —
  beauty
наха́л — *pig*
закрича́ть —
  to shout
дать пощёчину
  — *to give a slap*

2. Ответьте на вопросы.

1) Кому́ одна́жды помогла́ молода́я же́нщина?
2) Почему́ чёрт на́чал благодари́ть её?
3) Что реши́л подари́ть же́нщине чёрт?
4) Почему́ же́нщина была́ о́чень недово́льна и дала́ чёрту пощёчину?

3. А вы как думаете, что главное для женщины?

4. Выберите правильный вариант.

1) Одна́жды же́нщина *помога́ла/помогла́* чёрту.

2) Же́нщина до́лго не *могла́/смогла́* реши́ть, что она́ хо́чет.

3) Чёрт хо́чет *дава́ть/дать* же́нщине красоту́.

4) Же́нщина была́ о́чень недово́льна и *дава́ла/дала́* чёрту пощёчину.

Про́сто поменя́й жену́
Виды глаголов

1. Читайте диалог.

— Серге́й, что сего́дня **пригото́вила** твоя́ жена́ на обе́д?

— Она́ сказа́ла, что у неё бы́ло мно́го рабо́ты, поэ́тому она́ не **успе́ла** ничего́ пригото́вить. Купи́ла **пельме́ни** в суперма́ркете. Я и сам могу́ купи́ть пельме́ни — заче́м мне жена́?!

— **Чёрт возьми**! Она́ така́я краси́вая и у́мная же́нщина — рабо́тает, **убира́ет** в до́ме, хо́дит в теа́тр и на конце́рты, мо́жет говори́ть о литерату́ре, **междунаро́дных новостя́х**. Ну и что, что она́ не пригото́вила сего́дня обе́д? Вот моя́ жена́ всегда́ на ку́хне, она́ смо́трит **сериа́лы** и всегда́ гото́вит — она́ ста́ла **то́лстая** и **глу́пая**.

— Слу́шай, Ви́ктор, но у тебя́ до́ма всегда́ есть вку́сный обе́д, за́втрак и у́жин. Я **пря́мо сейча́с** гото́в **поменя́ть** свою́ жену́ на твою́, **идёт**?

приготовить — *to cook*

успеть — *to have time*

пельмени — *Siberian meat dumplings*

убирать — *to clean*

международный — *international*

новости — *news*

сериал — *TV serial*

толстый — *fat*

глупый — *stupid*

поменять — *to exchange*

идёт — *deal*

Чёрт возьми! — *Damn!*
прямо сейчас — *right now*

2. Ответьте на вопросы.

1) Почему́ жена́ Серге́я не пригото́вила сего́дня обе́д?
2) Кака́я жена́ у Серге́я?
3) Как вы ду́маете, у Ви́ктора есть сего́дня до́ма обе́д? Почему́?
4) Что предложи́л Серге́й своему́ дру́гу Ви́ктору?
5) Как вы ду́маете, что отве́тит Ви́ктор Серге́ю? Почему́?

Мы реши́ли э́ту пробле́му

Виды глаголов, дательный падеж в безличных предложениях

1. Читайте текст.

Мне жа́рко. Мне всегда́ жа́рко. Когда́ зимо́й лю́ди хо́дят в **шу́бах**, я хожу́ в ку́ртке. Я люблю́ **све́жий во́здух** и поэ́тому но́чью всегда́ открыва́ю окно́. А мой муж не лю́бит све́жий во́здух, ему́ всегда́ хо́лодно. Поэ́тому но́чью он всегда́, **осо́бенно** зимо́й, закрыва́ет окно́.

шу́ба — *fur coat*
све́жий — *fresh*
во́здух — *air*

осо́бенно — *especially*

Три ме́сяца наза́д (в январе́) я **легла́ спать** ра́но. Когда́ я уже́ спала́, мой муж закры́л окно́. Пото́м у меня́ два дня боле́ла голова́! Я сказа́ла му́жу: «Ты не лю́бишь меня́! Ты не понима́ешь меня́! Ты не ду́маешь обо мне́! Ты плохо́й муж!»

лечь спать — *to go to bed*

Два ме́сяца наза́д (в феврале́) мой муж лёг спать ра́но. Когда́ он уже́ спал, я **широко́** откры́ла окно́. Мне бы́ло так хорошо́! Но на сле́дующий день мой муж заболе́л. Ему́ бы́ло о́чень пло́хо! Он сказа́л мне: «Ты не лю́бишь меня́! Ты не понима́ешь меня́! Ты не ду́маешь обо мне́! Ты плоха́я жена́!»

широко́ — *wide*

Коне́чно, мо́жно бы́ло **развести́сь**. Но мой муж о́чень лю́бит меня́, а я о́чень люблю́ моего́ му́жа.

развести́сь — *to divorce*

Мы до́лго ду́мали, что де́лать, и наконе́ц нашли́ вы́ход. Мы всегда́, да́же зимо́й, широко́ открыва́ем окно́ на ночь, а муж спит в ша́пке и сви́тере.

2. Отве́тьте на вопро́сы.

1) Кому́ всегда́ жа́рко, му́жу и́ли жене́? А кому́ всегда́ хо́лодно?
2) Кто но́чью открыва́ет окно́, а кто закрыва́ет окно́?
3) Что сде́лал муж три ме́сяца наза́д?
4) Как себя́ пото́м чу́вствовала жена́?
5) Что сде́лала жена́ два ме́сяца наза́д?
6) Как себя́ пото́м чу́вствовал муж?
7) Как они́ реши́ли пробле́му?

3. Запо́лните про́пуски глаго́лами *открыва́ть/откры́ть, закрыва́ть/закры́ть*.

1) Её му́жу всегда́ хо́лодно, поэ́тому он всегда́ _____ окно́.
2) Ей всегда́ жа́рко, поэ́тому она́ всегда́ _____ окно́.
3) Три ме́сяца наза́д, когда́ она́ легла́ спать, её муж _____ окно́.
4) Два ме́сяца наза́д, когда́ её муж лёг спать, она́ _____ окно́.

Необы́чное яйцо́

Ви́ды глаго́лов, имена́ существи́тельные в предло́жном
и вини́тельном падежа́х

1. Чита́йте текст.

Послу́шайте ска́зку. Жила́ одна́жды де́вочка...
Где она́ жила́? Мы э́то зна́ли, но забы́ли. Мо́жет

быть, она́ жила́ в Кита́е? Или в Ту́рции? Или в Инди́и? Или в Росси́и? Или в А́фрике? Или в Аме́рике? Или в Евро́пе? Извини́те, не по́мним.

Эта бе́дная де́вочка жила́ одна́. И была́ у де́вочки ма́ленькая бе́лая ку́рица. Ка́ждый день э́та ку́рица **несла́ я́йца**, и де́вочка де́лала яи́чницу.

Но вот одна́жды ку́рица **снесла́** необы́чное яйцо́. Оно́ бы́ло о́чень краси́вое. Оно́ бы́ло о́чень большо́е. Не бе́лое и не жёлтое, не **золото́е** и не **сере́бряное**.

— Жа́лко есть тако́е краси́вое яйцо́! — сказа́ла де́вочка. — Но я так хочу́ есть! Я хочу́ суп, и рис, и бифште́кс, и́ли котле́ту... Я хочу́ сала́т и компо́т... Ах!

Де́вочка сказа́ла «ах», потому́ что уви́дела: всё, что она́ хоте́ла, бы́ло на столе́! И де́вочка поняла́: яйцо́ необы́чное. Оно́ даёт всё, что хо́чешь. Де́вочка была́ у́мная, поэ́тому снача́ла она́ хорошо́ поду́мала, а пото́м сказа́ла: «Я хочу́ большо́й краси́вый дом, хоро́шую шко́лу, **а́кции нефтяно́й компа́нии**, а пото́м, когда́ бу́ду больша́я, — му́жа-при́нца».

И получи́ла де́вочка, что хоте́ла: большо́й краси́вый дом, хоро́шую шко́лу, а́кции нефтя́ной компа́нии и му́жа-при́нца.

Принц был краси́вый, бога́тый, у́мный и до́брый — норма́льный принц, как в ска́зке.

И, коне́чно, де́вочка о́чень люби́ла его́. И, коне́чно, рассказа́ла, что у неё есть необы́чное яйцо́.

нести́ (снести́) я́йца — *to lay (laid) eggs*

золото́й — *gold*
сере́бряный — *silver*

а́кция — *share*
нефтяна́я компа́ния — *oil company*

— Попроси́ у яйца́, что хо́чешь, — сказа́ла она́ ему́.

— У меня́ всё есть, — отве́тил принц.

— И у меня́ всё есть, — сказа́ла молода́я принце́сса.

И принц (он о́чень люби́л демокра́тию) сказа́л:

— Дорого́е яйцо́! Де́лай, что хо́чешь! — и яйцо́ сде́лало, что хоте́ло. Оно́ **разби́лось** — и при́нц и принце́сса уви́дели... Коне́чно, цыплёнка! Цыплёнок был о́чень большо́й, не жёлтый и не бе́лый, не сере́бряный, не золото́й — и он сказа́л: «Спаси́бо!» — и **улете́л**.

Принц и принце́сса бы́ли о́чень ра́ды, что цыплёнок тепе́рь **на свобо́де** и де́лает, что хо́чет.

Но вы, коне́чно, по́няли, что э́то был не **просто́й** цыплёнок, а **настоя́щая** пти́ца сча́стья.

Мо́жет быть, она́ сейча́с лети́т к вам? Смотри́те внима́тельно!

разби́ться — *to crash*

улете́ть — *to fly away*
на свобо́де — *free*
просто́й — *common*
настоя́щий — *true*

2. Правильно или нет?

1) Де́вочка жила́ в Росси́и.
2) У де́вочки была́ чёрная ку́рица.
3) Одна́жды ку́рица снесла́ необы́чное яйцо́.
4) Де́вочка съе́ла яйцо́.
5) Де́вочка была́ не о́чень у́мная.
6) Де́вочка попроси́ла у яйца́ то́лько му́жа-при́нца.
7) Принц не люби́л демокра́тию.

3. Найди́те в тексте глаголы *забыва́ть/забы́ть, де́лать/сде́лать, есть/съесть, ду́мать/поду́мать, получа́ть/получи́ть, ви́деть/уви́деть, расска́зывать/ рассказа́ть*; определи́те их вид.

4. Заполните пропуски глаголами *есть/съесть, де́лать/сде́лать, ви́деть/ уви́деть, расска́зывать/рассказа́ть.*

1) Де́вочка ка́ждый день _____ я́йца.
2) Обы́чно де́вочка _____ яи́чницу.
3) Де́вочка всегда́ всё _____ своему́ му́жу-при́нцу. Одна́жды она́ _____ ему́ о необы́чном яйце́.
4) Принц мно́го раз _____ обы́чные я́йца, но необы́чное яйцо́ он _____ в пе́рвый раз.

ГЛАГОЛЫ ДВИЖЕНИЯ

Как русские глаголы движения почти убили меня

Глаголы движения

1. Читайте текст.

Я живу́ в Москве́ уже́ три ме́сяца. Я прие́хал из
Аме́рики. Рабо́таю в компа́нии, а ве́чером изуча́ю
ру́сский язы́к. Я уже́ немолодо́й, мне 55 лет. По-
э́тому мне о́чень тру́дно понима́ть ру́сскую грам-
ма́тику. Мно́гие **пра́вила** о́чень необы́чные для
меня́. В англи́йском языке́ таки́х пра́вил нет, там
совсе́м друга́я грамма́тика. Поэ́тому мне о́чень
тру́дно.

Неда́вно мы изуча́ли **глаго́лы движе́ния**. Пре-
подава́тель сказа́ла, что есть две гру́ппы: глаго́лы,
кото́рые **обознача́ют** движе́ние «туда́ и обра́тно»
(*ходи́ть* и *е́здить*) и глаго́лы, кото́рые обознача́ют
движе́ние «то́лько в одну́ сто́рону» (*идти́* и *е́хать*).

пра́вило — *rule*

глаго́лы
движе́ния —
verbs of motion
обознача́ть —
to mean
туда́ и обра́тно
— *there and
back*

Я не понима́ю: как э́то «то́лько в одну́ сто́рону»? Зна́чит, э́тот челове́к уже́ не **вернётся**? Он же до́лжен прийти́ когда́-нибудь наза́д? Или он ушёл навсегда́?

верну́ться — *to come back*

2. А чего вы не понимаете в русской грамматике?

3. Вставьте нужный глагол движения.

1) Я ка́ждый день _____ в университе́т на метро́.

2) Сейча́с я _____ пешко́м в магази́н.

3) Ка́ждое воскресе́нье я _____ на трамва́е в суперма́ркет.

4) Ка́ждое ле́то я _____ на ро́дину.

5) Магази́н «Проду́кты» нахо́дится недалеко́ от моего́ до́ма, поэ́тому я всегда́ _____ туда́ пешко́м.

Но пе́рвая…
Глаголы движения, имена существительные в винительном и родительном падежах

1. Понимаете ли вы слова *фотоаппара́т, хара́ктер, бар, спортза́л, а́нгел*?

2. Читайте текст.

Меня́ зову́т Дени́с. Вчера́ у меня́ был **ужа́сный** день. Утром я, как обы́чно, пое́хал на рабо́ту. В метро́ встре́тил дру́га Са́шу. Мы е́хали и разгова́ривали… И я забы́л свой зонт в метро́!

ужа́сный — *awful*

По́сле рабо́ты я пошёл в магази́н: хоте́л купи́ть но́вый фотоаппара́т. В магази́не встре́тил пе́рвую жену́. Она́ о́чень краси́вая. Она́ то́же покупа́ла фотоаппара́т. Она́, как и я, лю́бит фотографи́ровать… Как я люби́л э́ту же́нщину! Моя́ втора́я жена́ — то́же краси́вая, но пе́рвая… Но у второ́й жены́ хара́ктер хоро́ший, а у пе́рвой — плохо́й.

Из магази́на я пошёл в бар. Я хоте́л вы́пить и поду́мать о жи́зни. Из ба́ра я пошёл в парк. Я хоте́л погуля́ть и поду́мать о жи́зни... В па́рке я **вспо́мнил**, что забы́л фотоаппара́т в ба́ре. Я пошёл в бар, нашёл свой фотоаппара́т. Из ба́ра я пошёл в спортза́л.

вспо́мнить —
to recall

В спортза́ле встре́тил... Как вы ду́маете, кого́? Дру́га Са́шу! Он нашёл зонт, кото́рый я забы́л у́тром в метро́. Я был о́чень рад.

Из спортза́ла мы пошли́ в рестора́н. Вы́пили, поговори́ли о жи́зни... Из рестора́на я пое́хал домо́й. И до́ма вспо́мнил, что забы́л в рестора́не зонт, портфе́ль и но́вый фотоаппара́т!

Моя́ втора́я жена́ — а́нгел. Она́ сказа́ла: «Иди́ спать», взяла́ такси́, пое́хала в рестора́н и нашла́ там всё, что я потеря́л: зонт, портфе́ль и но́вый фотоаппара́т.

Я о́чень люблю́ мою́ втору́ю жену́.

Но пе́рвая...

3. Отве́тьте на вопро́сы.

1) Куда́ Дени́с пое́хал у́тром?
2) Кого́ он встре́тил в метро́?
3) Что он забы́л в метро́?
4) Куда́ Дени́с пошёл по́сле рабо́ты?
5) Кого́ он встре́тил в магази́не?
6) Куда́ Дени́с пошёл из магази́на?
7) Что он забы́л в ба́ре?
8) Куда́ Дени́с пошёл из ба́ра?

9) Кого́ Дени́с встре́тил в спортза́ле?

10) Куда́ Дени́с пошёл из спортза́ла?

11) Что Дени́с забы́л в рестора́не?

4. Заполните пропуски существительными из текста.

По́сле рабо́ты Дени́с пошёл _____, потому́ что хоте́л купи́ть но́вый фотоаппара́т. _____ он встре́тил пе́рвую жену́.

_____ он пошёл в бар. _____ он пошёл в парк. _____ он вспо́мнил, что забы́л фотоаппара́т _____. Он пошёл _____, нашёл свой фотоаппара́т. _____ он пошёл в спортза́л.

_____ он встре́тил дру́га Са́шу. _____ они́ пошли́ в рестора́н. _____ он пое́хал домо́й. До́ма он вспо́мнил, что забы́л _____ зонт, портфе́ль и но́вый фотоаппара́т.

Здоро́вый и нездоро́вый о́тдых

Ви́ды глаго́лов, глаго́лы движе́ния

1. Читайте текст.

Разгова́ривают два иностра́нца, америка́нец Джон и италья́нец Альбе́рто.

— Приве́т, Альбе́рто, как твои́ дела́?

— Пло́хо, Джон, я **пло́хо себя́ чу́вствую**, вчера́ съел сли́шком мно́го в италья́нском рестора́не. Давно́ не ходи́л туда́, а вчера́ по́сле рабо́ты реши́л пойти́. Тепе́рь **страда́ю**.

— На́до ду́мать о своём **здоро́вье**! На́до бо́льше **гуля́ть**, пла́вать в бассе́йне, ве́чером ра́но ложи́ться спать. Ты когда́ вчера́ **лёг спать**?

— Ой, не спра́шивай, я ничего́ не по́мню, потому́ что снача́ла в рестора́не я мно́го ел, мно́го пил, а пото́м я встре́тил одну́ **фантасти́ческую** де́вушку — и бо́льше ничего́ не по́мню. Наприме́р, где мой кошелёк — я **ищу́** его́ сего́дня всё у́тро, но не могу́ **найти́**...

страда́ть —
to suffer
здоро́вье —
health
гуля́ть — *to walk*
лечь спать —
to go to bed
фантасти́ческий
— *fantastic*
иска́ть —
to look for
найти́ — *to find*

___
пло́хо себя́ чу́вствовать — *to not feel well*

2. Отве́тьте на вопро́сы.

1) Почему́ Альбе́рто сего́дня пло́хо себя́ чу́вствует?
2) Когда́ Альбе́рто пошёл в рестора́н?
3) Что посове́товал Джон своему́ дру́гу?
4) Как Альбе́рто проводи́л вре́мя в рестора́не?
5) Кого́ Альбе́рто встре́тил в рестора́не?
6) Что и почему́ не мо́жет найти́ сего́дня Альбе́рто?

Блонди́нки

Глаго́лы движе́ния

1. Чита́йте текст.

Две **блонди́нки** стоя́т на **остано́вке** авто́буса.
Одна́ блонди́нка спра́шивает **другу́ю**:
— Како́й авто́бус тебе́ ну́жен?

блонди́нка —
blond girl
остано́вка —
bus stop
друго́й — *other*

— Мне? Номер 2. А тебе́?

— Мне — но́мер 7.

Они́ ви́дят, что к остано́вке **подъезжа́ет** авто́-бус но́мер 27. Втора́я блонди́нка говори́т:

— Смотри́! Вот наш авто́бус, мо́жем е́хать **вме́сте**!

подъезжа́ть — *to reach*

вме́сте — *together*

2. Отве́тьте на вопро́сы.

1) Где стоя́т блонди́нки?
2) На како́м авто́бусе хо́чет пое́хать пе́рвая блонди́нка?
3) На како́м авто́бусе хо́чет пое́хать втора́я блонди́нка?
4) Како́й авто́бус подъезжа́ет к остано́вке?
5) Кто пое́хал на э́том авто́бусе?

3. На чём вы лю́бите е́здить — на авто́бусе, на метро́, на маши́не, на такси́?

Ки́евская Русь

Глаго́лы движе́ния, имена́ существи́тельные в вини́тельном падеже́

1. Понима́ете ли вы слова́ *геогра́фия, исто́рия*?

2. Чита́йте текст.

Неда́вно мы с дру́гом **реши́ли** пое́хать в Ки́ев. Хоте́ли посмотре́ть э́тот **стари́нный** го́род. Мы из А́нглии, но живём в Москве́, у́чимся в университе́те. Поэ́тому росси́йская ви́за у нас есть.

реши́ть — *to decide*
стари́нный — *ancient*

Мы пое́хали на по́езде. На **грани́це** в по́езд вошли́ лю́ди в **фо́рме**.

— Здра́вствуйте!

— Здра́вствуйте!

— Ва́ши докуме́нты, пожа́луйста!

— Пожа́луйста!

грани́ца — *border*
фо́рма — *uniform*

— Куда́ е́дете?

— В Ки́ев.

— Заче́м е́дете?

— Мы тури́сты, хоти́м посмотре́ть стари́нный ру́сский го́род Ки́ев.

— Како́й го́род? Ру́сский?

— Да. А что?

— Вы е́дете на Украи́ну! Ки́ев — **столи́ца** Украи́ны. Вы геогра́фию изуча́ли в шко́ле?

столи́ца — *capital*

— Мы не то́лько геогра́фию изуча́ли. Мы изуча́ли исто́рию. И мы зна́ем, что была́ Ки́евская Русь, а Русь — э́то зна́чит «Росси́я». Про́сто э́то ста́рое сло́во. Ру́сский язы́к мы хорошо́ зна́ем.

— Так... Где ва́ша ви́за, исто́рики? Мне ну́жен оригина́л ви́зы.

— Но в па́спорте есть росси́йская ви́за, мы в Росси́и!

— Вы ещё в Росси́и, но на Украи́ну пое́хать не смо́жете! Изуча́йте геогра́фию! И исто́рию то́же.

Так мы не **попа́ли** в Ки́ев. А **жаль**... Говоря́т, краси́вый го́род!

попа́сть — *to get to*
жаль — *it's a pity*

3. Отве́тьте на вопро́сы.

1) Где живу́т друзья́?
2) Где они́ у́чатся?
3) Куда́ они́ пое́хали?
4) Почему́ они́ реши́ли пое́хать в Ки́ев?
5) Почему́ они́ не смогли́ посмотре́ть Ки́ев?
6) Как вы ду́маете, они́ хоро́шие студе́нты?

4. А какой город вы хотите посмотреть?

5. Заполните пропуски словами из текста.

Мы с дру́гом реши́ли пое́хать _____.

Мы хоте́ли посмотре́ть э́тот стари́нный _____.

В шко́ле мы изуча́ли не то́лько _____, но и _____

_____.

Мы хорошо́ зна́ем _____.

Сли́шком ма́ленький гло́бус!

Глаго́лы движе́ния, имена́ существи́тельные в предло́жном и вини́тельном падежа́х

1. Как вы понима́ете, кто тако́й *но́вый ру́сский*?

2. Заче́м лю́ди прихо́дят в туристи́ческое аге́нтство?

3. Чита́йте текст.

Но́вый ру́сский прихо́дит в **туристи́ческое аге́нтство**. Ме́неджер спра́шивает его́:

— Куда́ вы хоти́те пое́хать? Хоти́те в Пари́ж?

— Нет, я уже́ был в Пари́же, — отвеча́ет но́вый ру́сский.

— Мо́жет быть, тогда́ в Ло́ндон? Вы е́здили в Ло́ндон? — **опя́ть предлага́ет** ме́неджер.

— Коне́чно, я был в Ло́ндоне!

— А Таила́нд, Австра́лия, Перу́, Нами́бия? Вы хоти́те пое́хать туда́?

— Спаси́бо, я уже́ **везде́** был.

Ме́неджер говори́т:

туристи́ческий
— *travel*
аге́нтство —
agency

опя́ть — *again*
предлага́ть —
to suggest

везде́ —
everywhere

—Хорошо́, вот гло́бус. Посмотри́те на гло́бус и **покажи́те** ме́сто, где вы ещё не́ были и куда́ хоти́те пое́хать.

Но́вый ру́сский **до́лго** смо́трит на гло́бус, а пото́м **гру́стно** говори́т:

—Извини́те, а **друго́го** гло́буса у вас нет?!

показа́ть —
to show
до́лго —
for a long time
гру́стно — *sadly*
друго́й —
another

4. Отве́тьте на вопро́сы.

   1) Но́вый ру́сский хо́чет пое́хать во Фра́нцию и́ли нет? Почему́?

   2) Он хо́чет е́хать в Великобрита́нию и́ли нет? Почему́?

   3) В каки́х ещё стра́нах был но́вый ру́сский?

   5) Почему́ но́вый ру́сский попроси́л друго́й гло́бус?

5. Вы лю́бите путеше́ствовать? В каки́х стра́нах и города́х вы бы́ли? Куда́ вы хоти́те пое́хать? Что вы хоти́те уви́деть?

Вы не подска́жете...
Глаго́лы движе́ния и наре́чия, обознача́ющие направле́ние движе́ния

1. Понима́ете ли вы слова́ *пенсионе́р, пенсионе́рка*?

2. Чита́йте диало́г.

—Извини́те, **вы не подска́жете, как пройти́ к** метро́?

—Иди́те пря́мо, пото́м **поверни́те** напра́во.

повернуть —
to turn

—Зна́чит, пря́мо и напра́во?

—Да, пря́мо и напра́во...

—Извини́те, молодо́й челове́к, а мо́жно ещё вопро́с?

—Да, коне́чно, пожа́луйста!

—А где остано́вка тролле́йбуса?

—Иди́те пря́мо, пото́м поверни́те нале́во. Уви́дите остано́вку тролле́йбуса.

— Большо́е спаси́бо!

— Не́ за что.

— А... Э... Прости́те, вы не подска́жете, где **апте́ка**? Я хочу́ купи́ть **лека́рство**.

— Апте́ка? Иди́те напра́во, пото́м поверни́те нале́во, пото́м иди́те пря́мо... Вы уви́дите высо́кий дом. Там апте́ка. На пе́рвом этаже́.

апте́ка — *chemist's*
лека́рство — *medicine*

— Спаси́бо... Я ви́жу, вы хорошо́ зна́ете э́тот **райо́н**... Скажи́те мне, пожа́луйста, здесь недалеко́ есть бар?

райо́н — *area*

— Бар?! А заче́м... Извини́те. Да, есть. Иди́те пря́мо мину́т пятна́дцать — сле́ва уви́дите бар.

— Спаси́бо. А це́рковь? Вы не подска́жете, где це́рковь?

— Це́рковь напро́тив ба́ра.

— А шко́ла?

— Ря́дом с це́рковью... Извини́те, а что вам ну́жно — метро́, остано́вка, апте́ка, бар, це́рковь и́ли шко́ла?

— Че́стно говоря́, мне ничего́ не ну́жно... Я пенсионе́р, гуля́ю, мне ску́чно, хо́чется поговори́ть... А вы, молодо́й челове́к, стои́те здесь уже́ полчаса́. Оди́н. И **лицо́** гру́стное. И я поду́мал: мо́жет быть, вы то́же хоти́те поговори́ть?

лицо́ — *face*

— Извини́те, но я про́сто жду свою́ де́вушку. Она́ всегда́ **опа́здывает**... Вот она́ идёт! Извини́те, до свида́ния!

опа́здывать — *to be late*

— До свида́ния, молодо́й челове́к... А вот идёт симпати́чная же́нщина... Она́ идёт ме́дленно... Она́ немолода́я... Мо́жет быть, то́же пенсионе́р-

ка, и то́же гуля́ет одна́ и хо́чет поговори́ть... Из-
вини́те, вы не подска́жете, как пройти́ к метро́?

—**Подскажу́**, коне́чно. Иди́те пря́мо, пото́м
поверни́те напра́во...

подсказа́ть —
to give directions

вы не подска́жете — *could you tell me*
как пройти́ — *how can I get to*

4. Отве́тьте на вопро́сы.

1) Куда́ пенсионе́ру ну́жно бы́ло идти́?
2) Почему́ у молодо́го челове́ка гру́стное лицо́?

4. Продолжите разговор пенсионера с пожилой женщиной.

5. Спросите, как пройти (как проехать) к ближайшей станции метро, на рынок, к сбербанку, к булочной, к ближайшему супермаркету. Дайте ответы на эти вопросы.

Ты же зна́ешь!

Глаго́лы движе́ния,
существи́тельные в вини́тельном
и роди́тельном падежа́х

1. Если вы хотите пригласить кого-нибудь куда-нибудь, вы можете сказать:
«*дава́й пойдём гуля́ть*», «*дава́й пойдём в го́сти*», «*пойдём в го́сти*»,
«*пойдём гуля́ть*», «*дава́й погуля́ем*».

Если вы хотите согласиться с кем-нибудь, вы можете сказать: «*ты прав*»,
«*коне́чно*».

2. Понимаете ли вы слова *симфо́ния, депре́ссия, компози́тор*?

3. Читайте диалог.

— **Ми́лый**, ты уже́ зако́нчил свою́ симфо́нию?

— Ты же зна́ешь, у меня́ депре́ссия! Я — компози́тор, я пишу́ му́зыку, а не **продаю́** карто́шку!

— Да-да, извини́. Мо́жет быть, тебе́ на́до немно́го отдохну́ть? Дава́й пойдём сего́дня в теа́тр!

— В теа́тр? Но теа́тр **у́мер**! Сейча́с нет хоро́ших спекта́клей. Ты же зна́ешь!

— Да, ми́лый... Нет хоро́ших спекта́клей. А мо́жет быть, пойдём в кино́?

— В кино́? Ты **шу́тишь**? Сейча́с нет кино́, нет интере́сных фи́льмов. Ты же зна́ешь!

— Да... Ты прав. Нет интере́сных фи́льмов. Мо́жет быть, пойдём в рестора́н?

— В рестора́н? Рестора́н — э́то **ужа́сное** ме́сто! Там **кошма́рные** це́ны! У нас нет де́нег. Ты же зна́ешь!

— Да... Я понима́ю. Нет де́нег... А мо́жет, **пойдём в го́сти**? К Мари́не и Вади́му.

— К Мари́не и Вади́му? Но они́ так далеко́ живу́т... А у нас нет маши́ны. Ты же зна́ешь!

— Да... Коне́чно. Нет маши́ны... Тогда́ пойдём гуля́ть!

— Гуля́ть? У меня́ нет вре́мени, мне на́до писа́ть симфо́нию! Ты же зна́ешь!

— Да-да, коне́чно. Извини́. У тебя́ нет вре́мени... Тогда́ я пойду́ одна́.

— Одна́?

— Да!

— Куда́?

ми́лый — *darling*

продава́ть —
to sell

умере́ть — *to die*

шути́ть — *to joke*

ужа́сный —
awful
кошма́рный —
terrible
пойти́ в го́сти —
to pay a visit

— В теа́тр и́ли в кино́, а пото́м в го́сти и́ли в ресторан. Я же не компози́тор, у меня́ нет депре́ссии!

4. Дополните предложения, используйте слова для справок.

Я не могу́ пойти́ на _____, у меня́ нет вре́мени.
Я не могу́ пойти́ в _____, у меня́ нет ку́ртки.
Я не могу́ пойти́ в _____, у меня́ нет биле́та.
Я не могу́ пойти́ в _____, у меня́ нет уче́бников.
Я не могу́ пойти́ в _____, у меня́ нет купа́льника.
Я не могу́ пойти́ в _____, у меня́ нет де́нег.
Я не могу́ пойти́ на _____, у меня́ нет пода́рка.

С л о в а д л я с п р а в о к: парк, теа́тр, бассе́йн, университе́т, день рожде́ния, вечери́нка, кафе́.

5. Дополните предложения, используйте слова для справок.

Пойдём на _____, там прекра́сные карти́ны!
Пойдём в _____, там сейча́с идёт отли́чный фильм!
Пойдём в _____, там сейча́с идёт но́вый спекта́кль!
Пойдём в _____, сего́дня прекра́сная пого́да!
Пойдём в _____, я не хочу́ сего́дня гото́вить.
Пойдём на _____, я уже́ купи́л биле́ты.
Пойдём на _____, там бу́дет но́вая рок-гру́ппа.
Пойдём в _____, у нас нет молока́ и хле́ба.

С л о в а д л я с п р а в о к: магази́н, парк, теа́тр, конце́рт, вы́ставка, дискоте́ка, рестора́н, кино́.

6. Составьте диалоги по модели:

— Пойдём в кино́, там сего́дня хоро́ший фильм.
— Я не могу́ пойти́ в кино́, у меня́ нет вре́мени.

Бу́ду как султа́н

Глаго́лы движе́ния,
обозначе́ние сро́ка

1. Читайте диалог.

— У меня́ **прекра́сная но́вость**: мы с друзья́ми
е́дем на **не́сколько** дней отдыха́ть.

— **На ско́лько** дней?

— На пять. Мы посмо́трим три го́рода: Моск-
ву́, Петербу́рг и Вели́кий Но́вгород.

— Ско́лько дней вы бу́дете в Москве́?

— В Москве́ мы бу́дем два дня, пото́м на по́-
езде пое́дем в Вели́кий Но́вгород.

— Ско́лько вре́мени е́хать в Но́вгород?

— **Немно́го, то́лько** одну́ ночь. Мы прие́дем в
Вели́кий Но́вгород на оди́н день, потому́ что на́-
до ещё посмотре́ть Петербу́рг.

— Ско́лько дней вы бу́дете в Петербу́рге?

— К сожале́нию, то́лько два дня. Коне́чно, э́то
ма́ло, но лу́чше, чем ничего́.

— **Рад за вас**. А кто пое́дет? Мо́жет, я могу́
соста́вить вам компа́нию?

— Пое́дут мои́ бли́зкие подру́ги, с кото́рыми у
меня́ **прекра́сные отноше́ния**. Они́ таки́е **ра́зные**, у
ка́ждой своя́ исто́рия. Но мы бу́дем одни́ же́нщи-
ны — тебя́ э́то не **смуща́ет**? Тебе́ не бу́дет **ску́чно**?

прекра́сный —
　great
но́вость — *news*
не́сколько —
　some
на ско́лько —
　for how many

немно́го —
　not long
то́лько — *only*

ра́зный —
　different
смуща́ть —
　to confuse
ску́чно —
　to be bored

—Ха-ха! А почему́ э́то меня́ должно́ смуща́ть?! Ты зна́ешь, как я люблю́ же́нщин, и чем бо́льше — тем лу́чше! Бу́ду как **султа́н в гаре́ме**...

—Так ты пое́дешь с на́ми? **Замеча́тельно**!

султа́н — *sultan*
гаре́м — *harem*
замеча́тельно — *great*

соста́вить вам компа́нию — *to make you company*
рад за вас — *to be happy for you*
прекра́сные отноше́ния — *great relations*

2. Зако́нчите предложе́ния.

1) Снача́ла путеше́ственницы пое́дут в...
2) В Москву́ они́ прие́дут на два...
3) Е́хать из Москвы́ в Но́вгород недо́лго, ...
4) В Петербу́рге де́вушки плани́руют быть...
5) Де́вушки хорошо́ зна́ют друг дру́га, потому́ что они́...
6) Мужчи́на реши́л соста́вить им компа́нию, потому́ что...
7) Мне нра́вится е́здить в компа́нии, где то́лько же́нщины (мужчи́ны), потому́ что...
8) Мне не нра́вится е́здить в компа́нии, где то́лько же́нщины (мужчи́ны), потому́ что...

Се́верное сия́ние

Глаго́лы движе́ния

1. Чита́йте текст.

Куми́ко и Кана́ко — студе́нтки из Япо́нии. Они́ давно́ хоте́ли уви́деть се́верное сия́ние. Но они́ у́чатся в Москве́, изуча́ют ру́сский язы́к, поэ́тому свобо́дного вре́мени у них практи́чески нет.

Но вот начали́сь зи́мние кани́кулы, и они́ пое́хали в Му́рманск. Друзья́ сказа́ли им, что в э́том го́роде на се́вере Росси́и мо́жно уви́деть се́верное сия́ние.

Пять дней они́ жи́ли в гости́нице. Ка́ждый ве́чер они́ **сиде́ли** у окна́ и жда́ли... Всю ночь! Но се́верного сия́ния не́ было. Почему́? Днём они́ спа́ли, а но́чью сиде́ли у окна́.

сиде́ть — *to sit*

На шесто́й день они́ по́няли, что уже́ на́до е́хать наза́д, в Москву́, потому́ что кани́кулы зака́нчиваются.

Тогда́ они́ вы́шли на у́лицу и **останови́ли** такси́.

— Куда́ пое́дем? — спроси́л води́тель.

останови́ть — *to take*

— Туда́, где мо́жно уви́деть се́верное сия́ние, — сказа́ла Кана́ко.

— Поня́тно. Сади́тесь. Это специа́льное ме́сто, и тури́сты его́ ча́сто не зна́ют.

В такси́ де́вушки познако́мились с **води́телем**. Это был молодо́й челове́к, его́ зва́ли Са́ша. Мину́т че́рез два́дцать они́ прие́хали на небольшу́ю пло́щадь. Они́ вы́шли из маши́ны и **сра́зу** уви́дели необы́чный, о́чень краси́вый **свет** на **не́бе**. Это **невозмо́жно описа́ть**, э́то на́до ви́деть! Они́, коне́чно, до́лго фотографи́ровали се́верное сия́ние, друг дру́га и Са́шу.

води́тель — *driver*

сра́зу — *at once*
свет — *light*
не́бо — *sky*
невозмо́жно — *impossible*
описа́ть — *to describe*
попроси́ть — *to ask*

Когда́ Куми́ко и Кана́ко е́хали в гости́ницу, они́ **попроси́ли** у Са́ши но́мер телефо́на. Подру́ги сказа́ли, что хотя́т дать э́тот но́мер други́м студе́нтам, что́бы они́ могли́ позвони́ть ему́, когда́ прие́дут в Му́рманск смотре́ть се́верное сия́ние.

2. Правильно или нет?

1) Куми́ко и Кана́ко давно́ хоте́ли уви́деть се́верное сия́ние.
2) Ка́ждый день у них бы́ли заня́тия, и подру́ги пое́хали в Му́рманск во вре́мя кани́кул.
3) Но́чью в гости́нице де́вушки спа́ли.
4) Семь дней они́ жда́ли, когда́ мо́жно бу́дет уви́деть се́верное сия́ние.
5) Макси́м показа́л де́вушкам се́верное сия́ние.
6) Подру́ги попроси́ли у Са́ши но́мер телефо́на, потому́ что он о́чень понра́вился им.

3. Заполните пропуски глаголами движения.

1) Начали́сь зи́мние кани́кулы, и подру́ги _____ в Му́рманск.
2) Они́ _____ из гости́ницы на у́лицу и останови́ли такси́.
3) Че́рез два́дцать мину́т они́ _____ на небольшу́ю пло́щадь.
4) Подру́ги _____ из маши́ны и сра́зу уви́дели необы́чный свет на не́бе.
5) Когда́ подру́ги _____ в гости́ницу, они́ попроси́ли у води́теля но́мер телефо́на.

4. Расскажите эту историю от лица одной из подруг или водителя.

ДЛЯ ТЕХ,
КТО ХОЧЕТ ЗНАТЬ БОЛЬШЕ СЛОВ

Дед Моро́з и Снегу́рочка

1. Читайте текст.

Мно́гие ду́мают, что Дед Моро́з — э́то ру́сский Са́нта-Кла́ус. Но э́то **не совсе́м так**. И **ра́зница** не то́лько в том, что у Де́да Моро́за **дли́нная** голуба́я **шу́ба**, а у Са́нта-Кла́уса — **коро́ткая** кра́сная ку́ртка.

Гла́вное, что у Де́да Моро́за есть **вну́чка** — краси́вая де́вушка с дли́нной **косо́й** — Снегу́рочка. И они́ всегда́ прихо́дят вме́сте. Обы́чно на пра́здники снача́ла прихо́дит Дед Моро́з и говори́т, что **потеря́л** вну́чку. Де́ти должны́ **гро́мко** позва́ть

не совсе́м так —
   not exactly
ра́зница —
   difference
дли́нный — *long*
шу́ба — *fur-coat*
коро́ткий — *short*
гла́вное —
   most important
вну́чка —
   grand daughter
коса́ — *plait*
потеря́ть —
   to lose
гро́мко — *loudly*

её. **То́лько** когда́ они́ позову́т её три ра́за, она́ придёт.

Но в **ска́зках** исто́рия Снегу́рочки о́чень гру́стная, да́же траги́ческая. В конце́ она́ **та́ет**, ведь она́ вся из сне́га. **Причи́ны** ра́зные — **ого́нь**, че́рез кото́рый она́ **пры́гает** с подру́гами, **жа́ркое** со́лнце и **да́же**... любо́вь. О краси́вой исто́рии любви́ расска́зывает ска́зка А.Н. Остро́вского и о́пера Н.А. Ри́мского-Ко́рсакова «Снегу́рочка».

то́лько — *only*
ска́зка — *fairy tale*
та́ять — *to melt*
причи́на — *reason*
ого́нь — *fire*
пры́гать — *to jump*
жа́ркий — *hot*
да́же — *even*

2. Отве́тьте на вопро́сы.

1) Кака́я оде́жда у Де́да Моро́за и у Са́нта-Кла́уса?
2) Кто така́я Снегу́рочка?
3) Почему́ Дед Моро́з прихо́дит на пра́здник оди́н?
4) Почему́ в ска́зках Снегу́рочка та́ет?

5. В де́тстве вы ве́рили в Са́нта-Кла́уса? О чём вы его́ проси́ли?

6. О чём вы хоти́те попроси́ть Де́да Моро́за?

Необы́чный клие́нт

1. Чита́йте диало́ги.

— Это гости́ница «Салю́т»? Я могу́ **заказа́ть но́мер**?

заказа́ть но́мер — *to reserve a room*

— Нет, э́то магази́н «Салю́т».

— А... **Очень жаль.** Тогда́, мо́жет быть, у вас мо́жно купи́ть бана́ны?

— Нет, у нас не **овощно́й** магази́н. Но вы мо́жете купи́ть у нас **оде́жду** и **о́бувь**. Есть все **разме́ры**, хоти́те?

овощно́й — *vegetable*
оде́жда и о́бувь — *clothes and shoes*
разме́р — *size*

— Нет, извини́те, мне ну́жно купи́ть бана́ны и заказа́ть гости́ницу. Всего́ хоро́шего.

* * *

— Алло, э́то гости́ница и́ли магази́н?

— Почему́ магази́н? Э́то гости́ница «Салю́т». Что вы хоти́те?

— Мне нужна́ гости́ница. Я хочу́ **заброни́ровать** но́мер на 1 апре́ля.

— Како́й но́мер вы хоти́те — **одноме́стный, двухме́стный**? Дорого́й и́ли недорого́й? С за́втраком и́ли без за́втрака?

— Мне ну́жен двухме́стный но́мер, не о́чень дорого́й, с за́втраком.

— **На ско́лько** дней?

— На три.

— Извини́те, вы хоти́те две крова́ти ря́дом и́ли одну́ большу́ю?

— О... то́лько две крова́ти и не ря́дом.

— У нас крова́ти то́лько ря́дом. Мо́жет, вам лу́чше взять ещё оди́н но́мер, е́сли вы не хоти́те спать в крова́ти ря́дом с ва́шей...

— Не на́до меня́ учи́ть! Я сам зна́ю, что мне лу́чше! Понима́ете, я **путеше́ствую**... с **обезья́ной**. Я рабо́таю в ци́рке, и в ва́шем го́роде у меня́ бу́дет **представле́ние**. Я не могу́ заброни́ровать **отде́льный** но́мер для обезья́ны. Во-пе́рвых, она́ не лю́бит быть одна́, во-вторы́х, обы́чно пе́ред **спекта́клем** она́ си́льно **не́рвничает** и ест мно́го бана́нов. Но спать с ней ря́дом я не могу́, потому́ что по́сле бана́нов она́ си́льно **храпи́т** и **всю ночь кладёт** на меня́ **хвост**.

— Да, пробле́ма... А ва́ша обезья́на лю́бит телеви́зор?

заброни́ровать
— *to reserve*
одноме́стный —
single
двухме́стный —
double

на ско́лько —
for how many

путеше́ствовать
— *to travel*
обезья́на —
monkey
представле́ние
— *circus show*
отде́льный —
separate
спекта́кль —
performance
не́рвничать —
to get nervous
храпе́ть —
to snore
всю ночь —
all night long
класть — *to put*
хвост — *tail*

— О, прекра́сная иде́я! Телеви́зор её успока́ивает, осо́бенно програ́ммы о **живо́тных**. Её люби́мый кана́л — «Плане́та живо́тных».

— Хорошо́, мы **принесём** большо́й телеви́зор. И мно́го бана́нов, что́бы **снять стресс**.

— Спаси́бо большо́е! **Я приглаша́ю** вас на наш спекта́кль — ве́чером 1 апре́ля.

животное — *animal*

принести — *bring*

снять стресс — *to cope with stress*

приглашать — *to invite*

очень жаль — *very bad*

2. Ответьте на вопросы.

1) Что мо́жно купи́ть в магази́не «Салю́т»?

2) Како́й но́мер хо́чет заказа́ть клие́нт и почему́?

3) Почему́ клие́нту ну́жен но́мер, где есть две крова́ти не ря́дом?

4) Как живо́тное чу́вствует себя́ пе́ред спекта́клем?

5) Что обы́чно успока́ивает обезья́ну?

6) Когда́ бу́дет спекта́кль в ци́рке?

7. Вы любите ходить в цирк? В детстве вы часто ходили в цирк? Когда вы нервничаете, что успокаивает вас?

Оптими́ст и Пессими́ст

1. Понимаете ли вы слова *оптими́ст, пессими́ст, энтузиа́зм, визи́т, шампу́нь*?

2. Прочитайте текст, придумайте свой финал.

Жи́ли на све́те Оптими́ст и Пессими́ст.

Оптими́ст о́чень люби́л жизнь. Он говори́л: «Жизнь — как пти́ца. Сего́дня она́ здесь, а за́втра — там. Сего́дня ей ве́село и она́ поёт, а за́втра — ей гру́стно и она́ **молчи́т**. Как э́то прекра́сно!»

молчать — *to keep silence*

А Пессими́ст говори́л: «Жизнь — как трамва́й. Е́дет по **ре́льсам**. **Остана́вливается** на остано́вках. Пото́м сно́ва е́дет. **Оди́н и тот же маршру́т**. Одни́ и те же остано́вки. Как э́то ску́чно!»

Мо́жет быть, Пессими́ст то́же люби́л жизнь. **По-сво́ему**. Без энтузиа́зма. Мы не зна́ем.

Мы то́лько зна́ем, что Оптими́ст и Пессими́ст всё вре́мя **спо́рили**.

«Кака́я удиви́тельная де́вушка! — говори́л Оптими́ст. — Каки́е у неё прекра́сные голубы́е глаза́! Кака́я **чуде́сная** улы́бка! Каки́е краси́вые дли́нные **во́лосы**!»

«Её глаза́, — отвеча́л Пессими́ст, — э́то голубы́е **ли́нзы** плюс **тушь**. Улы́бка — три визи́та к стомато́логу плюс **пома́да**. А во́лосы — всего́ лишь шампу́нь «су́пер-**объём**».

Так они́ спо́рили и спо́рили. Но одна́жды всё измени́лось. Э́то **случи́лось**, когда́...

ре́льсы — *rails*
остана́вли-
ваться — *to stop*

по-сво́ему —
in own way
спо́рить —
to argue

чуде́сный —
wonderful
во́лосы — *hair*
ли́нзы — *lens*
тушь — *mascara*
пома́да —
lipstick
объём — *volume*
случи́лось —
happened

3. Посмотри́те в словаре́ значе́ние слов *пла́кать*, *зева́ть*.

4. Допо́лните предложе́ния, испо́льзуйте слова́ для спра́вок.

1) Я пою́, потому́ что мне...
2) Ты молчи́шь, потому́ что тебе́...
3) Он улыба́ется, потому́ что ему́...
4) Она́ пла́чет, потому́ что ей...
5) Мы пьём горя́чий чай, потому́ что нам...
6) Вы еди́те моро́женое, потому́ что вам ...
7) Они́ зева́ют, потому́ что им ...

С л о в а   д л я   с п р а в о к: гру́стно, ве́село, бо́льно, смешно́, жа́рко, ску́чно, хо́лодно.

_____
оди́н и тот же маршру́т — *one and the same route*

5. Какие слова лишние?

1) Шампу́нь — хоро́ший, плохо́й, дорого́й, гру́стный.
2) Во́лосы — хоро́шие, плохи́е, дороги́е, дли́нные.
3) Глаза́ — све́тлые, больши́е, ни́зкие, прекра́сные.
4) Де́вушка — высо́кая, краси́вая, молода́я, ста́рая.
5) Де́душка — молодо́й, ста́рый, широ́кий, до́брый.
6) Жизнь — дли́нная, у́зкая, интере́сная, тру́дная.
7) Стомато́лог — но́вый, лёгкий, хоро́ший, плохо́й.

Где живу́т звёзды?

1. Читайте диалог.

—Па́па, где живу́т **звёзды**?   звёзда — *star*
—Каки́е звёзды?
—**Обыкнове́нные**. Где они́ живу́т?   обыкнове́нный
—На **не́бе**.   — *ordinary*
—На не́бе они́ живу́т но́чью. А днём?   не́бо — *sky*
—Днём? Днём они́ **па́дают** с не́ба.   па́дать — *to fall*
—Куда́?
—Вниз.
—А куда́ **и́менно**?   и́менно —
—Иногда́ в ре́ку, иногда́ в мо́ре.   *ecxactly*
—Почему́ в мо́ре?
—Не зна́ю. **Наве́рное**, они́ лю́бят па́дать в во́ду.   наве́рное —
                                                              probably

132

—А в океа́н они́ па́дают?

—Да.

—А в **лу́жи** звёзды па́дают?

лу́жа — *puddle*

—В лу́жи — о́чень ре́дко.

—А почему́ ре́дко?

—Не зна́ю. Наве́рное, потому́ что лу́жи ма́ленькие.

—**Стра́нно**. А я о́чень люблю́ па́дать в лу́жи. **Да́же** в ма́ленькие.

стра́нно — *it is strange*

да́же — *even*

2. Скажите и напишите, что куда падает, кто куда падает. Используйте слова для справок.

1) Бутербро́д па́дает _____ .
2) Ли́стья па́дают _____ .
3) Стака́н па́дает _____ .
4) Лы́жники па́дают _____ .
5) Хоккеи́сты па́дают _____ .

С л о в а   д л я   с п р а в о к: земля́, снег, лёд, пол, но́вые брю́ки.

Знако́мство по Интерне́ту

1. Читайте диалог.

Два студе́нта разгова́ривают по телефо́ну.

—**Что случи́лось**, Ми́ша, ты тако́й гру́стный?

— Да нет, **всё в поря́дке**, Вади́м. Хотя́, е́сли че́стно, случи́лось.

Ну, ты зна́ешь, что мне с де́вушками тру́дно знако́миться. Весь день **обща́юсь** то́лько с компью́тером, поэ́тому и не зна́ю, как с де́вушкой **себя́ вести́**. И оди́н мой **прия́тель** по Интерне́ту **посове́товал вы́брать** де́вушку — то́же по Интерне́ту. Она́ меня́ не ви́дит, я — её. Так ле́гче. Узна́ем лу́чше друг дру́га, а пото́м, мо́жет, уже́ и встре́тимся **на са́мом де́ле**.

— Так в чём пробле́ма? Это о́чень **совреме́нно** — знако́миться по Интерне́ту. Оди́н мой прия́тель да́же **жени́лся** на де́вушке, кото́рую он в Интерне́те нашёл.

— Он, мо́жет, и жени́лся. Я то́же нашёл себе́ де́вушку — совреме́нная така́я, му́зыку мне **присыла́ла, откры́тки виртуа́льные**, пода́рки виртуа́льные. **Всё здо́рово** бы́ло. У нас и интере́сы о́бщие — **представля́ешь**, она́ футбо́л лю́бит! Зна́ет и игроко́в, зна́ет и кома́нды. **Коро́че**, обща́лись мы там по Интерне́ту. **Наконе́ц** мне ста́ло интере́сно посмотре́ть на мою́ де́вушку. Она́, коне́чно, писа́ла о себе́, что она́ краси́вая — фигу́ра хоро́шая, и во́лосы дли́нные — но я хоте́л уви́деть её **живу́ю**!

— Ну, и что, она́ **оказа́лась** не така́я краси́вая?!

— Да нет, о́чень краси́вая, то́лько... не де́вушка.

— Не по́нял... **В како́м смы́сле?!**

обща́ться —
to communicate

себя́ вести́ —
to behave

совреме́нный —
modern

жени́ться —
to marry

представля́ть —
to imagine
коро́че —
shortly speaking
наконе́ц —
at last

живо́й —
in person
оказа́ться —
to turn out to be

—В том смы́сле, что э́то оказа́лся Бо́рька из на́шего кла́сса — по́мнишь, тако́й высо́кий и **смешно́й**, всё вре́мя люби́л **шути́ть**. Он реши́л **пошути́ть** и надо мно́й! Я пришёл на **свида́ние**, смотрю́ **и́здали** — во́лосы дли́нные, фигу́ра хоро́шая. Я подошёл и говорю́, как **дура́к**: «Де́вушка, вы Валенти́на? Это вы мне писа́ли по Интерне́ту?» Она́ **обора́чивается**, и... я ви́жу, что э́то Бо́рька... Из на́шей шко́лы...

—Да ла́дно, не **расстра́ивайся**. Тепе́рь сам ви́дишь, что нельзя́ всё вре́мя проводи́ть за компью́тером...

смешно́й — *funny*
(по)шути́ть — *to joke*
свида́ние — *date*
и́здали — *away*
дура́к — *fool*
обора́чиваться — *to turn around*
расстра́иваться — *to be upset*

что случи́лось? — *what's happened?*
всё в поря́дке — *everything is ok*
на са́мом де́ле — *in reality*
прия́тель посове́товал вы́брать — *my buddy advised me to choose*
присыла́ть виртуа́льные откры́тки — *to send virtual cards*
всё здо́рово — *everything is great*
в како́м смы́сле? — *what do you mean?*

2. Отве́тьте на вопро́сы.

1) Почему́ Ми́ше тру́дно обща́ться с де́вушками?

2) Как он реши́л найти́ себе́ де́вушку?

3) Вади́му понра́вилась иде́я Ми́ши найти́ де́вушку че́рез Интерне́т?

4) Каку́ю де́вушку нашёл Ми́ша?

5) Кто пошути́л над Ми́шей?

3. Вы знако́мились по Интерне́ту?
У вас есть друзья́ в Интерне́те, кото́рых вы никогда́ не ви́дели? Вам интере́сно с ни́ми?
Вы предпочита́ете обще́ние в реа́льности и́ли по Интерне́ту? Что для вас ле́гче?

Из истории джинсов

1. Читайте текст.

Джинсы **придумали** не в Америке, а в Италии, в **Генуе**. Это была удобная и практичная рабочая одежда для **моряков**. Джинсы можно было **носить** и зимой и летом, и в городе и на море. Джинсы называли — blu di Genova, буквально «голубые из Генуи». Французы **произносили** по-французски — blue de Genes, а потом в каждой стране слово писали и **произносили** по-своему. В русском языке, например, используется английский вариант — «джинсы», но слово **имеет** «русское» **окончание** «-ы» и не **изменяется**.

Немецкий бизнесмен Леви Стросс, который жил в Америке в Сан-Франциско в середине 19 века, понял, какие джинсы **удобные**. Он начал делать и продавать джинсы в своей стране. Это было время **золотой лихорадки** в Калифорнии. Так Америка **надела** джинсы.

В середине 20 века джинсы стали символом **протеста** и **нонконформизма**. Джинсы надели хиппи. А в это время в Советском Союзе **молодёжь** могла только мечтать о джинсах. Здесь джинсы были **элитарной**, **эксклюзивной одеждой**.

Сегодня в мире джинсы **носят** все. Джинсы могут быть дорогие и дешёвые, простые и эксклюзивные. 80 % джинсов в мире делают в Китае, где **производство** не стоит почти ничего.

золотая лихорадка — *gold fever*

придумать — *to invent*
Генуя — *Genoa*
моряк — *sailor*
носить — *to wear*
произносить — *to pronounce*

иметь — *to have*
окончание — *ending*
изменяться — *to change*
удобные — *comfortable*
надеть — *to put on*
протест — *protest*
нонконформизм — *non conformism*
молодёжь — *youth*
элитарный — *elite*
эксклюзивный — *exclusive*
одежда — *clothes*
производство — *production*

2. Закончите предложения.

1) Джинсы придумали не американцы, а...

2) Джинсы стали популярными, потому что...

3) Джинсы можно было носить...

4) Америка надела джинсы в 19 веке, потому что...

5) В Америке и Европе в середине 20 века джинсы стали...

6) Сегодня джинсы носят все, потому что...

Где купить продукты в Москве

1. Читайте текст.

В Москве **в последние годы появилось** много магазинов, где можно купить продукты. Это очень **разные** магазины.

Во-первых, разные супермаркеты. **Дешёвые** или, как **написано** в рекламе, «экономные» супермаркеты типа «Пятёрочки» и «Копейки», **недешёвые** супермаркеты — «Седьмой континент», «Перекрёсток», «Азбука вкуса». Популярны в Москве такие **международные** гипер- и мегамаркеты, как «Ашан», «Рамстор», «Метро» и другие. В этих магазинах — стандартный **набор продуктов**.

Во-вторых, продолжают работать старые московские **рынки**. На рынке можно купить не только русские традиционные продукты (**солёные огурцы** или **капусту**). Если на рынке есть продавцы-корейцы — вы купите **оригинальные** корейские **блюда** и продукты. У продавца-**грузина** можно купить свежий грузинский сыр **сулугуни**, а

появиться —
to appear
дешёвый —
cheap
написано —
written
недешёвый —
expensive
международный
— *international*
набор продуктов
— *set of products*
рынок — *market*
солёный огурец
— *salted*
cucumber
капуста —
cabbage
оригинальный
— *original*
блюда — *dishes*
грузин —
Georgian
сулугуни —
suluguni

у **узбе́ка** — национа́льный узбе́кский хлеб, **кру́глую лепёшку, ды́ни**.

В-тре́тьих, вы мо́жете купи́ть **еду́** и в интернет-магази́не, мо́жно да́же сказа́ть, в интерне́т-бути́ке — потому́ что це́ны там о́чень высо́кие. Наприме́р, интерне́т-магази́н италья́нской ку́хни «У Авгу́ста» **предло́жит** вам настоя́щие и о́чень све́жие италья́нские проду́кты — пармеза́н и́ли горгонзо́ллу. А интерне́т-порта́л «armeniaonline» предлага́ет, коне́чно, **армя́нские** проду́кты. Но есть и дешё́вый интерне́т-магази́н — «Утконо́с».

В-четвёртых, оста́лись в Москве́ и ста́рые небольши́е магази́ны. И хоть **ремо́нт** был там не **везде́**, москвичи́ туда́ то́же хо́дят: э́то недороги́е магази́ны и нахо́дятся недалеко́ от до́ма.

И после́дняя **но́вость**: уже́ появи́лось но́вое **поколе́ние**, кото́рое **вообще́**... не хо́дит в магази́ны покупа́ть проду́кты. Молоды́е лю́ди не лю́бят и не уме́ют **гото́вить** — они́ **предпочита́ют тра́тить** свои́ де́ньги в кафе́ и рестора́нах. Или **зака́зывать гото́вую** еду́ **пря́мо** домо́й — наприме́р, пи́ццу, су́ши.

узбе́к — *Uzbek*
кру́глая лепёшка
   — *round cake*
ды́ня — *melon*
еда́ — *food*
предложи́ть —
    to offer
армя́нский —
   Armenian
ремо́нт — *repair*
везде́ —
   everywhere
но́вость — *news*
поколе́ние —
   generation
вообще́ — *at all*
гото́вить —
    to cook
предпочита́ть —
   to prefer
тра́тить —
   to spend
заказа́ть —
    to order
гото́вый —
   ready-made
пря́мо — *right*

в после́дние го́ды — *recently*

2. Отве́тьте на вопро́сы.

1) Каки́е суперма́ркеты есть сего́дня в Москве́?
2) Что мо́жно купи́ть на моско́вском ры́нке и нельзя́ купи́ть в суперма́ркете?
3) Заказа́ть еду́ че́рез Интерне́т до́рого и́ли недо́рого?
4) Москвичи́ лю́бят ста́рые небольши́е магази́ны? Почему́?
5) Почему́ но́вое поколе́ние не хо́дит в магази́н за едо́й?

3. Какие магазины любите вы?

Какие магазины вы выберете, если будете жить в Москве?

Маленькая Италия в Тверской области

1. Читайте текст.

Пьетро Массимо — итальянец. Но живёт уже 12 лет в России, в **провинции**. У него есть свой бизнес — он делает **настоящий** итальянский сыр. У него есть, конечно, русская жена, её зовут Маша.

Маша и Пьетро познакомились в Калабрии, на родине Пьетро. Сначала жили в Италии, а потом итальянскому мужу стало интересно посмотреть Россию: такая большая страна! Итальянцы **любопытные**.

Больше всего в России Пьетро понравилась русская **дача** Маши: большая река, **свежий прохладный воздух**. И Пьетро решил остаться жить здесь. Наверное, потому что тут прохладный воздух: он очень не любил **жару**, а в Калабрии уже в мае +40°. А на даче в Тверской **области** иногда в мае даже **идёт снег**...

Пьетро уже **пенсионер**, но он **привык** активно работать — поэтому начал работать на даче: построил дома — для себя и гостей, сделал красивый сад. А потом решил организовать бизнес, потому что **земли** здесь много и надо на этой земле **что-то** делать. Теперь ему **некогда** думать о **специфике** России:

—Страна как страна, — говорит Пьетро, — у каждой страны есть свои проблемы, свои **загадки**.

провинция — *province*

настоящий — *real*

любопытные — *curious*

дача — *country house with some land*

свежий — *fresh*

прохладный — *cool*

воздух — *air*

жара — *heat*

область — *region*

идёт снег — *it snows*

пенсионер — *pensioner*

привык — *got used to*

земля — *land*

что-то — *something*

некогда — *to have no time*

специфика — *specific character*

загадка — *mystery*

Но когда́ мно́го рабо́таешь — ду́мать о национа́льной специ́фике про́сто не́когда.

—А вы **скуча́ете** без Евро́пы?

—Почему́ без Евро́пы? —спра́шивает Пье́тро. — Я и сейча́с живу́ в Евро́пе. Моя́ Евро́па — э́то не террито́рия. Моя́ Евро́па — э́то голова́ и ру́ки. А земля́ — то́лько **инструме́нт** для рабо́ты. И **нева́жно**, как называ́ется э́тот инструме́нт: Росси́я, Швейца́рия, США и́ли Брази́лия. Гла́вное — что ты де́лаешь на э́той земле́.

скуча́ть —
to miss

инструме́нт —
tool

нева́жно —
not important

2. Зако́нчите предложе́ния.

1) Пье́тро италья́нец, но живёт сейча́с...

2) Когда́ Пье́тро прие́хал в Росси́ю, ему́ понра́вилась бо́льше всего́...

3) Пье́тро не мо́жет не рабо́тать, поэ́тому на да́че он...

4) Пье́тро не ду́мает о специ́фике Росси́и, потому́ что...

5) Пье́тро не скуча́ет без Евро́пы: он счита́ет, что...

6) Италья́нец ду́мает, что у ка́ждой страны́ есть...

3. Продо́лжите одно́ из двух выска́зываний.

1) Я ду́маю, что э́тот иностра́нец — о́чень стра́нный, потому́ что...

2) Я согла́сен с Пье́тро, потому́ что Росси́я...

Живу́ в Интерне́те!

1. Чита́йте диало́г.

Два дру́га, Ва́ня и И́горь, разгова́ривают по телефо́ну.

—Ты, Игорь, в понеде́льник что ве́чером де́лал?

—Фильм смотре́л на компью́тере. Тако́й **кла́ссный** америка́нский фильм!

—А во вто́рник?

—Во вто́рник то́же смотре́л! **Круто́й** тако́й фильм — япо́нский, про япо́нскую ма́фию. Я его́ в Интерне́те **нашёл**, смотре́л **беспла́тно, ме́жду про́чим**.

—А в сре́ду где был, я **звони́л**, но у тебя́ до́ма никого́ не́ было?

—Как не́ было?! Я до́ма был, фильм смотре́л. Тако́й, зна́ешь, необыкнове́нный фильм! То́лько **шу́мный** о́чень, наве́рное, я телефо́н не слы́шал — там всё вре́мя **стреля́ли**...

—Поня́тно тепе́рь... Я хоте́л тебя́ в сре́ду на **о́зеро пригласи́ть**, мы с друзья́ми **за́ город** е́здили, отдыха́ли, **купа́лись**. **Здо́рово** бы́ло!

—Как купа́лись, ведь хо́лодно ещё! Я по́мню, в Интерне́те во вто́рник смотре́л пого́ду: +2 — −2.

—Как хо́лодно?! Ты когда́ смотре́л, в како́й вто́рник?! Уже́ ию́нь давно́, жа́рко, вода́ в о́зере тёплая. **Настоя́щее** ле́то!

—Как ле́то?!

кла́ссный — *first-rate*

круто́й — *cool*

найти́ — *to find*
беспла́тно — *free of charge*
звони́ть — *to call*

шу́мный — *noisy*

стреля́ть — *to shoot*
о́зеро — *lake*
пригласи́ть — *to invite*
за город — *outside the city*
купа́ться — *to swim*
здо́рово — *great*
настоя́щий — *real*

ме́жду про́чим — *by the way*

2. Отве́тьте на вопросы.

1) Како́й фильм смотре́л Ва́ня во вто́рник?
2) Почему́ Ва́ня не смог говори́ть с Игорем по телефо́ну в сре́ду?

3) Заче́м И́горь звони́л Ва́не в сре́ду?

4) Где И́горь был с друзья́ми в сре́ду?

5) Кака́я пого́да была́ в сре́ду?

6) В како́е вре́мя го́да происхо́дит разгово́р?

3. Зако́нчите фра́зы.

1) Я люблю́ Интерне́т, потому́ что...

2) Я не люблю́ Интерне́т, потому́ что...

3) Мой знако́мый мно́го вре́мени прово́дит в Интерне́те, он...

4) Интерне́т хорошо́ испо́льзовать, что́бы...

5) Е́сли мно́го вре́мени проводи́ть в Интерне́те, мо́жно...

Что тако́е «кенгуру́»?

1. Чита́йте текст.

Англи́йский капита́н Джеймс Кук до́лго **плыл** по Ти́хому океа́ну. Он иска́л но́вую **неизве́стную** зе́млю, но нашёл то́лько **острова́**. Э́то бы́ли о́чень больши́е острова́, они́ называ́ются сего́дня Но́вая Зела́ндия. А пото́м Кук и его́ **кома́нда** уви́дели ещё одну́ **террито́рию** — э́то была́ Австра́лия, её **восто́чный** бе́рег.

Кук знал, что здесь, на э́том берегу́, **европе́йский** челове́к никогда́ не́ был, поэ́тому он реши́л посмотре́ть, кто здесь живёт.

Когда́ Кук и его́ кома́нда **вы́шли** на зе́млю, их встре́тили лю́ди, кото́рые там жи́ли — австрали́йские **тузе́мцы**. В кома́нде Ку́ка бы́ли **учёные**, **бота́ники**. Оди́н бота́ник уви́дел, что вокру́г мно́го но́вых неизве́стных **расте́ний**. Ему́ бы́ло интере́сно, каки́е э́то расте́ния, как они́ называ́ются.

плыть — *to sail*

неизве́стный — *unknown*

о́стров — *island*

кома́нда — *crew*

террито́рия — *territory*

восто́чный — *east*

европе́йский — *European*

вы́йти — *to land*

тузе́мец — *aboriginal*

учёный — *scientist*

бота́ник — *botanist*

расте́ние — *plant*

Он показывал на растение и спрашивал самого главного туземца по-английски: «Что это?» Туземец **произносил** на своём языке **название** растения. И вдруг недалеко от людей Кук увидел **необыкновенное** животное. Он быстро показал на животное и спросил:

— Что это? Какое это животное?

— Кен-гу-ру, — произнёс туземец, и на его языке это **значило** «я не знаю».

— А, — Кук понял туземца по-своему, — это животное называется «кенгуру»! Какое красивое слово!

И теперь весь мир знает, что самое известное животное Австралии называется кенгуру.

произносить —
to pronounce
название —
name
необыкновенное
— *unusual*
значить —
to mean

2. Ответьте на вопросы.

1) Какие острова нашёл капитан Кук?
2) Почему Кук решил посмотреть на восточный берег Австралии?
3) Что было интересно узнать для Кука и его команды?
4) Кук и его команда общались с туземцами в Австралии? Как они это делали?
5) Почему Кук решил, что «кенгуру» — это название животного?
6) Что такое «кенгуру» на языке австралийских туземцев?

3. Как вы считаете, можно ли общаться с человеком, если не знаешь его языка?

Учебное издание

Баринцева Марина Николаевна
Жабоклицкая Ирена Ивановна
Курлова Ирина Владимировна
Петанова Анна Юрьевна
Чубарова Ольга Эдуардовна

ШКАТУЛОЧКА

Пособие по чтению для иностранцев,
начинающих изучать русский язык
(элементарный уровень)

Редактор *Е.П. Шастина*
Ответственный редактор *М.В. Питерская*
Иллюстрации *С. Ступенькова*
Корректор *Е.Е. Морозова*
Компьютерная вёрстка *Е.П. Бреславская*

Подписано в печать 17.12.2019. Формат 70×90/16
Объём 9 п.л. Тираж 1000 экз. Зак. З-121

Издательство ООО «Русский язык». Курсы
107078, г. Москва, Новая Басманная ул., д. 19, стр. 2
Тел./факс: +7(499) 261-12-26, тел.: +7(499) 261-54-37
E-mail: rusyaz_kursy@mail.ru; ruskursy@mail.ru; ruskursy@gmail.com; rkursy@gmail.com;
Сайт издательства: www.rus-lang.ru

https://vk.com/public131540114   https://facebook.com/ruskursy/?ref=bookmarks

Отпечатано с готового оригинал-макета издательства
в типографии ООО «Мастер-Студия»
432049, г. Ульяновск, ул. Урицкого, д. 94